MODERN SPANISH
FOR ADULTS

MODERN SPANISH
FOR ADULTS

PART ONE

J. HUGHES, B.A.(Hons)

Illustrated by
G. GRIBBIN

J. M. DENT & SONS LTD
10–13 BEDFORD ST LONDON W.C.2

Made in Great Britain
at the
Aldine Press · Letchworth · Herts
for
J. M. DENT & SONS LTD
Aldine House · Bedford Street · London
First published 1964
Last reprinted 1972

ISBN: 0 460 09479 3

CONTENTS

PREFACE

THIS course is intended for adults and for older students in secondary schools, technical and commercial colleges. It provides interesting reading matter on Spain and on present-day topics, with a basis of grammar from which unnecessary detail has been omitted; this will, I trust, ensure rapid progress and a sense of achievement.

The lessons provide the mechanical drill which makes for thoroughness and for flexibility in speaking, and there is ample practice in conversation. In this connection the diffident student and the student working alone will find guidance for their answers in the suggestions or outlines given in Spanish; these, I have found, encourage such students to talk.

Lastly, since the phrase and not the word is important in conversation, the exercises afford ample practice in using expressions and idioms essential in everyday speech.

I am grateful to Professor the Rev. J. Sáez of Logroño and Mr George Hills for their valuable suggestions, to Mr D. Muncey for reading the manuscript copy, and to my wife for her assistance in reading the proofs. The illustrations are by Mr G. Gribbin.

J. H.

MIDDLESBROUGH, 1954.

PRONUNCIATION

THE only sure way of learning the true sounds of Spanish vowels and consonants is by hearing them, and therefore any English equivalents given below are only approximate.

CONSONANTS

b, v. These are pronounced in exactly the same way. The lips are placed together, flat, but not pressed tightly. The teeth must not be used in pronouncing Spanish 'v' wherever this letter appears in a word. Thus 'Barcelona' and 'Valencia' have the same initial consonant sound.

h. Always silent.

ch. As in Eng. 'church'; e.g. coche (car, coach), mucho (much).

z, c(e), c(i). Like Eng. 'th' in 'through'; e.g. plaza (square), azul (blue), Zaragoza, Barcelona, Valencia.

c(a), c(o), c(u). Like Eng. 'k.'

j, g(e), g(i). Guttural like 'ch' in 'loch,' German 'ach'; e.g. Juan, Jorge, julio (July), general, gitano (gipsy).

g(a), g(o), g(u). Like Eng. 'g' in 'game,' 'gone,' 'gun.'

ll. Like '-ll-y,' in Eng. 'all you people,' but with the tongue pressed more towards the roof of the mouth; e.g. calle (street), maravilloso (marvellous).

ñ. Like 'ni' in 'onion,' but pronounced with the *middle* of the tongue; e.g. España, español.

r. Always pronounced.

rr. Well trilled; e.g. pero (but), perro (dog), caro (dear), carro (cart).

s. Like Eng. '-ss'; e.g. casa (house), sí (yes), gracias (thank you).

t. Place the tip of the tongue between the teeth. Carta (letter), capital (capital).

y. As in Eng. 'yes'; e.g. muy (very), y (and).

d. Like 'th' in Eng. 'this,' but the tongue touches the edge of the upper teeth very lightly; e.g. padre (father), madre (mother), quedar (to stay) ('qu-,' like 'k'), ciudad (city), agradable, ruido (noise), verde (green), ¿no es verdad? (isn't that so?), todo (all).

-ld, -nd. Like Eng. 'd'; e.g. donde (where), industrial, segundo (second), andén (platform), soldado (soldier: first 'd' hard, second 'd' soft).

VOWELS

Spanish is a phonetic language, and therefore every letter that is written must be sounded.

The Spanish vowels are *a, e, i, o, u.*

When pronouncing them note:

    (1) That they tend to be short.

    (2) That each is a *single* sound and must not be pronounced as a diphthong.

a. Like Eng. 'Ah!'; e.g. casa (house), plaza (square), España (Spain). (Pronounce the final -a as a true 'a.')

e. Intermediate between Eng. 'gate' and 'get'; e.g. té (tea), pero (but), tren (train), centro, hotel.

i. Like 'ee' in Eng. Never like Eng. 'i' in 'it'; e.g. sí (yes), sin (without), industrial, kilómetro (kilometre), provincia, dinero (money).

o. Like Eng. 'for'; e.g. no, cómo (how?), todo (all), sólo (only), estación (station), aeropuerto (airport).

u. Like Eng. 'oo' in 'moon'; e.g. un (one, a, an), mundo (moond-) (world), segundo (-goond-) (second), industrial (-doost-) (industrial).

ACCENTUATION

1. Words ending in a vowel, -n, or -s, have the stress on the *second last* syllable; e.g. casa, plaza, España, centro, pero, mundo, calle (street), padre, madre, aeropuerto, agradable, gitano, casas, plazas, calles, gitanos, hablan (they speak), joven (young).

2. Words ending in a consonant have the stress on the *last* syllable; e.g. español, hotel, señor, profesor (teacher), ciudad, verdad (truth), industrial, capital.

3. Any departure from these rules is shown by an accent; e.g. avión (aeroplane), estación (station), inglés (English), francés (French), artículo (article), película (film), kilómetro.

LECCIÓN PRIMERA

The Definite and Indefinite Articles. Gender and Plural of Nouns

1. **The Definite Article** (*the*) used before nouns is:
Sing.
Masc.   Fem.
　el　　la　　　e.g.　el coche: *the car*　　la ciudad: *the city*
　　　Plur.
　los　　las　　　los coches: *the cars*　　las ciudades: *the cities*.

Note. The contractions 'al' (*to the*), 'del' (*of the*) are used instead of 'a el,' 'de el,' before masculine singular nouns.

　　　　al tren: *to the train*　　　del tren: *of (from) the train.*
But, a los trenes: *to the trains*　de los trenes: *of (from) the trains.*

2. **The Indefinite Article** (*a, an*) used before a noun is:
Masc.　Fem.
　un　　una

(i) 'uno' (one) is used in Spanish when no masculine noun follows.

(ii) The plural 'some' is usually omitted in Spanish. Where necessary it is translated by 'unos,' 'unas.'

　　　un avión: *an aeroplane*　　una calle: *a street*
　　　hay coches en la calle: *there are (some) cars in the street*
　　　a unos quince kilómetros de Barcelona: *(at) some 15 kilometres from Barcelona.*

3. **Gender of Nouns.** Nouns in Spanish are either masculine or feminine.

　　　Those ending in -o are masculine.
　　　Those ending in -a, -d, -z, -ión are mostly feminine.
　　　Masc.: el aeropuerto: *the airport*; el centro: *the centre*; el verano: *the summer.*

Fem.: la casa: *the house*; la ciudad: *the city*; La Paz: *Peace*; la estación: *the station*.

4. Formation of the Plural of Nouns.

(i) Nouns ending in a vowel add -s:

coche, coches: *car, cars*; casa, casas: *house, houses*; puerto, puertos: *port, ports (harbour(s))*.

(ii) Nouns ending in a consonant add -es:

señor, señores: *gentleman, gentlemen*; ciudad, ciudades: *city, cities*; estación, estaciones: *station, stations*.

Note. vez, veces: *time* (or *occasion*), *times* (*occasions*). Similarly other nouns ending in -z.

VOCABULARIO

el puerto, port, harbour
aeropuerto, airport
Mediterráneo, Mediterranean
tren, train
aeroplano ⎱ plane
avión ⎰
kilómetro, kilometre
centro, centre
verano, summer
sol, sun
coche, car
hotel, hotel
norte, north
paseo, thoroughfare
café, café, coffee

la provincia, province
España, Spain
Francia, France
capital, capital (city)
ciudad, city
estación, station
calle, street
terraza, terrace
plaza, square
casa, house
región, region

las vacaciones, holidays

hay, there is, there are
¿hay . . .?, is there, are there?

es, is (who (what) a person (thing) is)
de, of, from
a, to, at (after verb of motion)
y, and
o, or
para, for
en, in, on, at
está, is (where a person (thing) is)
¿dónde?, where?
¿qué?, what?
sí, yes
cuando, when
más . . . que, more . . . than

pasar, to spend, pass
llegar a, to arrive at
llega, he (she (it) arrives

agradable, pleasant
maravilloso, -a, marvellous
segundo, -a, second
activo, -a, busy, active
hermoso, -a, beautiful
cosmopolita, cosmopolitan
industrial, industrial
ancho, -a, wide, broad
mucho, -a, much (plur. many)
español, -a, Spanish (m., f.), Spaniard
francés, -esa, French (-man, -woman)
inglés, -esa, English (-man, -woman)
italiano, -a, Italian (man, woman)

Lectura

Cataluña es una de las regiones de España. La capital
de la región es Barcelona, segunda ciudad de España.
Es un puerto activo del Mediterráneo, y es una ciudad
hermosa más cosmopolita y más industrial que Madrid.
El tren de Francia llega a la Estación del Norte; el avión
de París llega a un aeropuerto a unos 15 (quince) kilómetros
del centro de la ciudad.

En el verano, cuando hace mucho sol, es agradable
llegar a Barcelona en tren, en avión, o en coche, para
pasar las vacaciones en esta (*this*) ciudad maravillosa. En
las calles, en las plazas, en los hoteles, y en las terrazas de
de los cafés hay españoles, franceses, italianos, e ingleses.
El 'Paseo de Gracia' es hermoso, es magnífico. Es una
calle ancha de Barcelona.

Ejercicio 1 (uno).

Write in Spanish the definite article (the) before: tren,
calle, señor, estación, centro, hotel, ciudad, vez, puerto,
plaza, café, español.

Ejercicio 2 (dos).

Write in Spanish the indefinite article (a, an) before:
plaza, tren, señor, ciudad, hotel, centro, vez, estación,
aeropuerto, provincia, calle, coche, terraza, casa, kilómetro.

Ejercicio 3 (tres).

Write in Spanish the plural of the nouns in Ejercicios 1
and 2.

Ejercicio 4 (cuatro).

Write in Spanish the plural of: el café, el puerto, la casa,
el tren, el hotel, la estación, la plaza, el señor, el avión,
la calle.

Ejercicio 5 (cinco).

Write in Spanish the singular of: las plazas, los coches,
las ciudades, los kilómetros, las capitales, a los aeropuertos,

Granada : Arab palace of the Alhambra

de los cafés, de las estaciones, a los trenes, a las terrazas, de las casas, a los coches, de los aviones, de las calles.

Ejercicio 6 (seis).

Write in Spanish 'a' or 'an' before each of the nouns in Ejercicio 4.

Ejercicio 7 (siete). Answer in Spanish in complete statements, using the words in brackets:

1. ¿Dónde está Cataluña? (España). 2. ¿Qué es Cataluña? (región, España). 3. ¿Dónde está Barcelona? (Cataluña). 4. ¿Qué es Barcelona? (capital, Cataluña). 5. ¿Adónde llega un tren? (estación). 6. ¿Adónde llega el avión? (aeropuerto). 7. ¿Dónde está el aeropuerto? (a quince kilómetros de). 8. ¿Dónde está la estación? (ciudad). 9. ¿Hay terrazas en los cafés? (Sí, etc.). 10. ¿Hay hoteles en Barcelona? (Sí, etc.). 11. ¿Es hermosa Barcelona? 12. ¿Qué ciudad es la capital de España? 13. ¿Es Barcelona la capital de España? (No, Madrid). 14. ¿De dónde llega el avión? (Francia). 15. ¿De dónde llega el tren? (Francia). 16. ¿Qué hay en una calle? (casas, hoteles). 17. ¿Adónde llega el coche? (Barcelona). 18. ¿Qué es el 'Paseo de Gracia'? (calle ancha). 19. ¿Dónde está el 'Paseo de Gracia'? (Barcelona). 20. ¿Qué es un 'Paseo'? (calle ancha, hermosa).

Ejercicio 8 (ocho). Translate into Spanish:

1. Barcelona is a town in (of) Spain. 2. It is in Catalonia which (*que*) is a region of Spain. 3. There is an airport for a plane which (*que*) arrives from France. 4. In the streets of Barcelona there a~e cars from France and from Spain. 5. There is a wide street in the city, the 'Paseo de Gracia.' 6. Barcelona is more industrial than Madrid. 7. Madrid is the capital of Spain. 8. An Englishman arrives in Barcelona by (*en*) car (for) to spend the holidays. 9. He arrives at the centre of the city. 10. A French(-man) arrives at the 'Estación del Norte.' 11. An Italian is in the café. 12. An English(-man) is on the terrace of the café. 13. He is English, French, Spanish. 14. Are there cafés in

the street? 15. Where is the train? It is in the station.
16. Is there an airport in Barcelona? 17. Are there cafés in
the 'Paseo de Gracia'? 18. A café or an hotel. In an
aeroplane or in the train. 19. An hotel in the centre of the
city. Yes, it is the train for Barcelona. 20. The cities of
Spain. The summer is pleasant. The Spaniards on the
terraces of cafés.

LECCIÓN SEGUNDA

5. Present Indicative of 'hablar,' to speak, to talk.

      habl-o, *I speak, am speaking, do speak.*

      habl-as, *you speak, are speaking, do speak.*

(Vd.) habl-a, *he, she, it (you) speaks, is speaking, does speak.*

      habl-amos, *we speak,* etc.

      habl-áis,   *you   ,,   ,,*

(Vds.) habl-an,   *they (you) ,,*

Usted (*abbreviated to* Vd.): 'you' (singular); and *Ustedes* (Vds.): 'you' (plural) are the polite or ordinary forms of address.

The second person 'hablas' and 'habláis' are the intimate forms used by members of the same family, by relatives, intimate friends, and by adults to young children.

Present Indicative of 'estar,' to be:

estoy, *I am*	*estar* expresses:
estás, *you are*	1. Place
(Vd.) está, *he, she, it (you) is (are)*	e.g. Barcelona está en Cataluña.
estamos, *we are*	*Barcelona is in Catalonia.*
estáis, *you are*	2. Temporary states
(Vds.) están, *they (you) are*	e.g. Estoy cansado(-a). *I am tired.*

VOCABULARIO

Infinitive: to . . .

pasar, spend, pass (time)
mirar, look at
esperar, wait for
comprar, buy
tomar, take (*have* a meal)
llevar, take away, wear (clothes)
quedar, stay, remain
regresar, return

sacar, take out (a thing)
fumar, smoke
cambiar, change
bajar, go (come) down
hallar, find

el artículo, article
  sombrero, hat
  vestido, dress

el tiempo, time	la playa, beach, seaside resort
traje, suit, costume	mujer, woman, wife
horario, time-table	señora, lady, Mrs
billete, ticket	clase, class
periódico, newspaper	
pitillo, cigarette	
dinero, money	el (la) turista, tourist
amigo, -a, friend	
pasajero, passenger	si, if
hombre, man	otro, -a, other
andén, platform	algunos, -as, some (i.e. a few)

Note. The negative 'not' is obtained in Spanish by using 'no' *before* the verb; e.g. no hablo: *I am not speaking, I do not speak.* Vd. no habla: *you are not speaking, you do not speak.*

LECTURA

1. Paso las vacaciones con un amigo en una playa de España. 2. Llegamos a la estación para tomar el tren. 3. Uno de los pasajeros mira el horario y compra un billete. 4. Los turistas compran periódicos y esperan en el andén. 5. Saco un periódico para pasar el tiempo. 6. Un hombre lleva un traje; una mujer lleva un vestido o un traje. 7. Tomo un café y fumo un pitillo en la estación. 8. Algunos pasajeros cambian de tren; ortos se quedan en el departamento. 9. Cuando llega el tren muchos pasajeros bajan. 10. Al fin (*end*) de las vacaciones regresamos a casa.

A 1. Translate: 1. I spend (pass). I spend the time. 2. I arrive. I arrive at the station. 3. I look at. I look at the time-table. 4. I wait for. I wait-for (await) the train. 5. I buy. I buy a hat. 6. I wear. I wear a suit (costume). 7. I take. I take (have) a coffee. 8. I stay. I stay at home (in the house). 9. I return. I return home (to the house). 10. I smoke. I smoke a cigarette. 11. I change. I change the money. 12. I get (go) down. I get down from the train.

A 2. Translate the above (A 1), replacing 'I' by (i) 'he,' (ii) 'you' (Vd.), (iii) 'we,' (iv) 'they,' (v) 'you' (Vds.).

B. Answer in Spanish in complete statements, using the words in brackets:

1. ¿Dónde pasa Vd. las vacaciones? (*i.* España; *ii.* una playa).   2. ¿Pasa Vd. las vacaciones con amigos? (Sí, algunos amigos).   3. ¿Qué compran los turistas? (periódicos).   4. ¿Dónde esperan los turistas? (andén).   5. ¿Qué fuman? (pitillos).   6. ¿Fuma Vd.? (*i.* Sí; *ii.* No).   7. ¿Dónde toma Vd. un café? (estación).   8. ¿Dónde compran los turistas periódicos? (andén).   9. ¿Qué esperan los pasajeros? (tren).   10. ¿Adónde llega el tren? (estación).   11. ¿Qué miran los pasajeros? (horario).   12. ¿Qué mira Vd.? (horario).   13. ¿Dónde está el horario? (estación).   14. ¿Dónde están los pasajeros? (*i.* andén, tren; *ii.* andenes, trenes).   15. ¿Qué hay en una estación? (trenes, turistas).   16. ¿Dónde estamos? (clase).   17. ¿Adónde regresa Vd. al fin de la clase? (casa).   18. ¿Qué saca Vd. para comprar un periódico? (dinero).   19. ¿Qué compramos en la estación (billetes, periódicos).   20. ¿Qué llevan las señoras? (vestidos).   21. ¿Qué llevan los señores (trajes, sombreros).   22. ¿Lleva Vd. sombrero? (*i.* Sí; *ii.* No).   23. ¿Dónde se quedan algunos de los pasajeros? (departamentos).   24. ¿Y los otros? (bajar).   25. ¿Y otros? (cambiar de tren).

Ejercicio.   Translate into Spanish:

1. I talk to (*con*) the Spaniards in the train.   2. On the journey (*viaje*) we talk to (*con*) the passengers.   3. The gentleman buys a newspaper to (= for to: *para*) pass the time.   4. He stays in the compartment when some (a few) tourists get out (get down).   5. When I am in Spain I buy articles.   6. The passengers arrive at the station. They wait on the platforms.   7. The lady is wearing (wears) a dress and a hat.   8. She takes-out (one word) money to (= for to) buy a paper.   9. The passengers look-at (one word) the time-tables and smoke cigarettes.   10. I catch (take) a train in Madrid for Barcelona.   11. Do you catch a train in Madrid?   12. Do you (plur.) return home (to the house)?

LECTURA

Los visitantes hallan en Barcelona muchas diversiones (*amusements*) y monumentos hermosos. Cerca de la ciudad está el monte de Tibidabo desd el cual (*from which*) se ve (*one sees*) toda la ciudad, y donde hay un parque (*park*) de atracciones. Cerca de (*near*) Barcelona está la montaña de Montserrat en la cual (*which*) hay un famoso santuario (*place of pilgrimage*). Otro monumento de la ciudad es el templo de 'La Sagrada (*Holy*) Familia,' edificio extraño (*strange*) y probablemente único en el mundo (*world*). Cerca de Barcelona está también (*also*) 'La Costa Brava' ('*Wild, Rugged Coast*'), lugar muy concurrido (*place much frequented*) por los visitantes. La región de Barcelona es famosa por sus (*for its*) manufacturas de tejidos (*textiles*).

LECCIÓN TERCERA

6. Present Indicative of Verbs ending in -er, -ir.

comer : to eat, dine

com-o, *I eat, am eating, do eat*

com-es, *you eat, are eating, do eat*

(Vd.) com-e, *he, she, it (you) eats, is eating, does eat*

com-emos, *we eat*, etc.

com-éis, *you ,, ,,*

(Vds.) com-en, *they (you) ,,*

vivir : to live

viv-o, *I live, am living, do live*

viv-es, *you live, are living, do live*

(Vd.) viv-e, *he, she, it (you) lives, is living, does live*

viv-*imos, we live*, etc.

viv-*ís, you ,, ,,*

(Vds.) viv-en *they (you) ,,*

Note. These two conjugations are similar except for the first and second person plural.

7. **Negative.** Remember that for the negative (obtained in English by using 'do not,' 'does not') put 'no' before the verb in Spanish.

e.g. No fumo: *I do not smoke.* ¿No fuma Vd.?: *Don't you smoke?*

VOCABULARIO

Infinitive: to...
cruzar, cross (street)
escuchar, listen to
buscar, look for, seek
viajar, travel
entrar en, enter
comer, eat, dine
beber, drink
ver, see
leer, read

conocer, know
aprender, learn
deber, must, ought to
subir a, go up, get into
escribir, write
recibir, receive
abrir, open

durante, during
¿por qué?, why?

14

pero, but
aquí, here
por, through, by, along
en vez de, instead of

el equipaje, luggage
vino, wine
ferrocarril, railway
ruido, noise
pastel, cake (fancy)
pan, bread
viaje, journey

el viajero, traveller
almacén, store
té, tea

la calzada, roadway
carta, letter
(tarjeta) postal, postcard
palabra, word

las noticias, news
la circulación, traffic
Inglaterra, England
gente, people

LECTURA

1. Cruzo la calle para entrar en un almacén. 2. ¿Escucha Vd. el ruido de la circulación? 3. ¿Por qué entra Vd. en un almacén? — Entro en un almacén para comprar artículos. 4. Bebo té y como pasteles en un café, pero los españoles, en vez de té, toman café o café con leche (*milk*). 5. ¿Qué come Vd., pan o pasteles? 6. ¿Qué bebe Vd., té o café? 7. ¿Qué busca Vd? — Busco el equipaje de mi (*my*) amigo. — Está aquí en el departamento. 8. ¿Viaja Vd. mucho? — Sí, viajo por España y Francia. 9. ¿Viaja Vd. mucho durante las vacaciones? — No, no viajo mucho. 10. Buscamos el horario de los trenes para Barcelona. 11. Leemos periódicos en el tren para pasar el tiempo y para conocer las noticias del mundo. 12. Cuando llega el tren muchos viajeros bajan y otros suben a los departamentos. 13. ¿Escribe Vd. cartas durante el viaje? — No, no escribo cartas. Fumo o hablo con los viajeros, y leo periódicos. 14. En España beben vino o café; no beben té.

A 1. Translate: 1. I drink. I drink wine or coffee. 2. I eat. I eat a cake. 3. I read. I read a newspaper. 4. I learn. I learn the words. 5. I receive. I receive letters. 6. I write. I write a postcard. 7. I go up. I go up (get) into the train. 8. I open. I open the luggage. 9. I see. I see the airport. 10. I cross. I cross the street. 11. I enter a shop. 12. I travel in (through) Spain. 13. I live. I live in England. 14. I listen (to). I listen-to the news. 15. I look

for (seek). I look for (seek) an hotel. 16. I learn. I learn
(*el*) Spanish. 17. I speak. I speak Spanish. 18. I receive a
postcard. 19. I write a letter. 20. I look at the time-table.

A 2. Translate A 1, replacing 'I' by (i) 'he' ('she,' 'it'),
(ii) 'you' (Vd.), (iii) 'we,' (iv) 'they,' 'you' (Vds.).

B. Answer in Spanish in complete statements, using the
words in brackets:

1. ¿Qué bebe Vd. en casa? (té). 2. ¿Qué bebe Vd.
en España? (*i.* café; *ii.* vino). 3. ¿Qué come Vd.? (pan,
pasteles). 4. ¿Dónde lee Vd. un periódico? (casa). 5.
¿Qué escribe 'a sus amigos? (cartas). 6. ¿Dónde vivimos?
(Inglaterra). 7. ¿Vive Vd. en España? (no, Inglaterra).
8. ¿Viven Vds. en España? 9. ¿Dónde viven los españoles?
10. ¿Por qué lee Vd. los periódicos? (leer, conocer, noticias).
11. ¿Dónde sube Vd. al tren? (estación del ferrocarril).
12. ¿Qué ve Vd. en los almacenes? (sombreros, vestidos).
13. ¿Qué vemos en la calle? (casas, coches). 14. ¿Por qué
entramos en los almacenes? (para, comprar). 15. ¿Cuándo
leen Vds. periódicos? (esperar el tren). 16 ¿Cuándo
reciben Vds. cartas? (recibir, estar, Inglaterra). 17.
¿Cuándo suben los viajeros al departamento? (subir, tren,
parar). 18. ¿Qué bebemos en España? (café, vino).
19. ¿Qué ve Vd. en un aeropuerto? 20. ¿Qué vemos en las
calles? (circulación). 21. ¿Cuándo bajan los viajeros?
(tren, parar). 22. ¿Dónde está la gente? (almacenes,
calles). 23. ¿Es industrial Barcelona? 24. ¿Es español
el profesor? (No, español; inglés).

Ejercicio. Translate into Spanish:

1. When I am in the city I look for (seek) a shop (for) to
buy cakes, cigarettes, and other (plur.) articles. 2. There
are people (sing.) in the streets. 3. They (sing. refer-
ing to 'people') are crossing the roadway (for) to go into
(enter) shops. 4. There is a lot of (much) noise in the streets
of a city during the day (*día*). 5. There is the noise of the
traffic. 6. In the station passengers are getting into the
trains and others are getting out. 7. The passengers on

the platform buy newspapers (for) to read during the journey to Madrid. 8. They learn (know) the news of the day. 9. They have (take) a coffee in the station and wait for (await) the train. 10. The passengers see the train and get in (one word). 11. There is luggage on the platform and in the train. 12. In the hotel they drink wine or coffee. 13. We live in England, and during the holidays we travel to Spain. 14. Do you travel to Madrid in (*en*) train or by (*en*) car? 15. Do you live in Spain? No, I live in England, but during the holidays I travel to Spain. 16. Why do you travel to Spain?—(For) to spend the holidays in Madrid or in Barcelona. 17. We receive postcards when we are in Spain. 18. We write the cards on the terrace of a café. We get into the car.

LECTURA
Sevilla

En el sur (*south*) de España hay una ciudad muy (*very*) interesante que todos (*all*) los visitantes de España en primavera (*spring*) deben conocer: Sevilla. Es famosa en el mundo por sus (*its*) procesiones de Semana Santa (*Holy Week*) en las cuales se admiran joyas (*gems*) de imaginería (lit. *image-making*) cristiana de famosos autores antiguos. Muchos miles (*thousands*) de turistas extranjeros (*foreign*) visitan a Sevilla en estas fechas (*dates*) y quedan cautivados (lit. *captivated*) por su (*its*) hermosura y por la simpatía de sus habitantes. Después de (*after*) la Semana Santa comienzan las célebres ferias (lit. *fairs*) que duran todo el mes (*month*) de abril y donde se (*one*) conoce la España típica. En la ciudad hay numerosos monumentos de arquitectura árabe, por ejemplo 'La Giralda' que es una torre (*tower*) de la Catedral, pero en los tiempos antiguos era (*was*) el minarete de una mezquita (*mosque*); hay también (*also*) la 'Torre de Oro' (*gold*) que era una fortaleza (*fortress*) de los moros (*Moors*). Los vinos de la región son conocidos (*known*) en todo el mundo.

LECCIÓN CUARTA

ADJECTIVES

8. Agreement of Adjectives.

A descriptive adjective agrees in Spanish with the noun or pronoun it qualifies. An adjective used with a noun, especially an adjective of colour, form, taste, temperature, and nationality, usually follows that noun.

e.g. El Río Grande: *The Big River.* Una casa blanca: *a white house.* Casas blancas: (some) *white houses.*

Exceptions: buen(-o) (*good*), gran (*great*).

e.g. Buenos días: *Good morning.* Buenas noches: *Good night.*
La Gran Vía (in Madrid): (literally) *The Great Road.*

Note. Bueno (*good*), malo (*bad*). Omit 'o' before a masculine singular noun. 'Grande' becomes 'gran' before a singular noun, whether masculine or feminine, and it means 'great.'

9. Numeral and Indefinite Adjectives precede their noun.

e.g. Dos hombres: *Two men.* Muchos viajeros: *Many passengers.* Algunas veces: *A few times.*

10. Formation of the Plural of Adjectives.

Adjectives follow the same rule as for nouns, viz.:
(i) Those ending in a vowel add -s.
(ii) Those ending in a consonant add -es.

e.g. (i) largo, largos: *long.* grande, grandes: *large.*
(ii) español, españoles: *Spanish.*

11. **Formation of the Feminine of Adjectives.**

(i) Adjectives ending in -o and those denoting nationality have feminine -a.

(ii) Adjectives in any other ending remain unchanged.

e.g. (i) Largo, larga: *long.* inglés, inglesa, *English.* español, española: *Spanish.*

(ii) Grande, grande (m. and f.): *large.* joven, joven: *young.* útil, útil (m. and f.) : *useful.*

VOCABULARIO

largo, -a, long
frío, -a, cold
barato, -a, cheap
caro, -a, dear
pequeño, -a, small
blanco, -a, white
rojo, -a, red
divertido, -a, amusing
aburrido, -a, boring
vacío, -a, empty
bueno, -a, good
cómodo, -a, comfortable
bonito, -a, pretty
grande, big, large
útil, useful
joven, young
interesante, interesting
verde, green

habitar, to live in

proyectar, to show (film)
es, son, is, are

el cine, cinema, ' pictures '

el edificio, building
asiento, seat
departamento, compartment

la película, film
vitrina, (shop) window
esposa, wife
cosa, thing
calzada, roadway

también, also
siempre, always
delante de, in front of
¿no es verdad?, isn't it? (wasn't it?),
didn't he, she, it?, etc.

LECTURA

1. 'La Gran Vía' de Madrid es una calle larga y ancha. 2. Hay muchos almacenes en esta (*this*) calle, y en las vitrinas de los almacenes hay artículos baratos y caros. 3. Las señoras llevan vestidos muy bonitos con sombreros blancos o rojos. 4. Las casas de la ciudad son muy grandes. Algunas veces las casas son más pequeñas. 5. Hay hermosos edificios artísticos en Sevilla y en Córdoba y cosas interesantes en todas las ciudades de España. 6. Cuando llega el tren buscamos un departamento vacío, subimos y tomamos

asiento. Los departamentos de primera clase son muy cómodos en los trenes españoles. 7. 'Buenos días, señor. Vd. es español, ¿no es verdad?' 'No, mi (*my*) esposa es española y vivimos en Madrid. ¿Es Vd. inglés?' 'Sí, y mi esposa es inglésa también.' 8. Las películas que proyectan en los cines son divertidas, y muchas veces muy largas. 9. Veo un coche verde delante de la casa. 10. Un coche es muy útil cuando viajamos por España.

Ejercicio 1 (uno). Make the following phrases plural (omit 'some'):

1. Una calle larga. 2. Un almacén grande. 3. Una película divertida. 4. Una cosa útil. 5. Un español joven. 6. Un día frío. 7. Un vestido blanco. 8. Una estación grande. 9. Un asiento cómodo. 10. Un departamento vacío. 11. Una ciudad hermosa. 12. Un día aburrido. 13. Un traje caro. 14. Un viaje largo. 15. Una cosa interesante. 16. Una película aburrida. 17. Una calzada ancha.

Ejercicio 2 (dos). Write the following sentences plural:

1. La casa no es pequeña. 2. La calle es ancha. 3. La película es interesante. 4. El viaje es largo. 5. El coche es verde. 6. Aquí está un hotel grande. 7. El señor es español. 8. La señora no es inglesa; es española. 9. La cosa es útil. 10. La española es joven, ¿no es verdad? 11. Hay un coche delante de la casa. 12. Hay un coche hermoso en la calle. 13. El edificio es muy grande, ¿no es verdad? 14. El vestido es caro pero el sombrero es barato. 15. La carta no es larga. 16. Un periódico es útil. 17. La ciudad es artística. 18. La catedral es hermosa.

Ejercicio 3 (tres). Make sensible noun-adjective phrases from the following:

Nouns: dinero, tiempo, cosa, calles, periódicos, sombreros, película, día, señora, vestidos, señorita, veces.

Adjectives: mucho, bonito, francés, rojo, hermoso, divertido, útil, largo, barato, grande, largo, alguno.

A. Answer in Spanish in complete statements, using the words in brackets:

1. ¿Dónde están todos los viajeros? (andén, estación).
2. ¿Por qué están en la estación? (viajar a España).   3. ¿Hay gente delante de la estación? (mucho, -a).   4. ¿En qué clase viaja Vd. en España? (1st).   5. ¿Hay turistas en los trenes? (mucho, -a, etc.).   6. ¿Cómo (*How*) es La Gran Vía? (*What is the G. V. like?*) (ancho, -a, etc.).   7. ¿Cómo son las ciudades de España? (artístico, -a, etc.).   8. ¿Son baratos los vestidos? (No, caro, -a, etc.).   9. ¿Es Vd. español? (no, inglés, -a).   10. ¿Es Vd. española? (no, inglés, -a, etc.).   11. ¿Son Vds. españoles?   12. ¿Es divertida la película? (no, aburrido, -a).   13. ¿Es pequeña 'La Estación del Norte'? (*big*).   14. ¿Son pequeños los almacenes de 'La Gran Vía'? (grande, etc.).   15. ¿Cómo es Madrid? (hermoso, -a, etc.).   16. ¿Qué lee Vd. en los periódicos?   17. ¿Dónde habita Vd.?   18. ¿Qué hay en las vitrinas de los almacenes?

B. Translate into Spanish:

1. I am in a big station and there are many people on the platform.   2. There are many tourists with a good deal of luggage.   3. All are travelling to Spain to spend the holidays at a seaside resort.   4. They buy tickets and wait on the crowded platforms.   5. Some buy newspapers, they talk, or they look at the long trains which arrive with a good deal of noise.   6. The gentlemen smoke and talk to (with) friends.   7. The ladies wear beautiful dresses and pretty hats.   8. The passengers look-for (seek) empty compartments and get into (*subir a*) the train.   9. The crowded train leaves (*salir*) for Spain.   10. In front of the hotel.   A few cigarettes as well (also).   It is always interesting, isn't it?   The buildings are big, aren't they?

LECTURA

Los turistas que llegan a España deben (*must, ought*) conocer un poco la geografía y la historia pasada y actual (*present*) del país para tener ideas exactas y verdaderas de los españoles, de su (*their*) vida diaria, y de sus costumbres. España no es un país de corridas de toros (*bullfights*), de mantillas, guitarras y bailes (*dances*) andaluces. No es un país donde bailan los habitantes todo el día. Es ésa (*that*) una idea falsa y ridícula. Bailan sí, pero trabajan (*work*) mucho también. Los habitantes de todos los países bailan y trabajan; nosotros (*we*) los ingleses bailamos y jugamos (*play*) al fútbol, pero trabajamos mucho también.

Así es necesario leer libros bien documentados sobre España y los españoles, ante todo (*especially*) libros de historia, en los cuales (*which*) aprendemos un poco de la lucha (*struggle*) de España cristiana contra los moros (*Moors*) durante ocho siglos (*centuries*). El alma (*soul*) de España está en su (*its*) historia.

LECCIÓN QUINTA

With this lesson learn the Present Indicative of 'traer,' 'caer,'
'poner,' 'salir,' 'oir'

12. Irregular Verbs: tener, venir, hacer, decir.

Present Indicative :

tener, to have	*venir*, to come	*hacer*, to make, do	*decir*, to say, tell
tengo	vengo	hago	digo
tienes	vienes	haces	dices
(Vd.) tiene	(Vd.) viene	(Vd.) hace	(Vd.) dice
tenemos	venimos	hacemos	decimos
tenéis	venís	hacéis	decís
(Vds.) tienen	(Vds.) vienen	(Vds.) hacen	(Vds.) dicen

The following verbs also have -g- in first person singular:

traer (traigo, traes, etc.): *bring*　　salir (salgo, sales, etc.):
caer (caigo, caes, etc.): *fall*　　　　　*go out, depart*
poner (pongo, pones, etc.): *put*　　oir (oigo, oyes, oye): *hear*

VOCABULARIO

traer, bring
caer, fall
poner, put
venir, come
decir, say, tell
oir, hear
salir, go out, depart
dar, give
parar, stop, stay (in hotel)

el vaso, (drinking-glass)
　libro, book
　abrigo, (over)coat
　mozo, waiter, porter

el dormitorio, bedroom
　paseo, walk
la cantina, refreshment room

la copa, (wine-)glass
　taza, cup
　mesa, table
　persona, person

gracias, thank you
allí, there
pintoresco, -a, picturesque
varios, -as, several

Idioms :

tener que: *to have to (must)* + infinitive.
tengo que salir: *I have to go out.*

23

tener calor (frío): (*a person*) *to be hot* (*cold*).
tengo mucho calor: *I am very hot.*
dar un paseo: *to have* (*take, go for*) *a walk.*
dar (*or* caer) a: *to look out on to.*
Mi cuarto da a la calle: *My room looks out on to the street.*
hacer calor (frío, buen tiempo): (*the weather*) *to be hot* (*cold,*
　fine).
estar de vacaciones: *to be on holiday.*
estoy de vacaciones: *I am on holiday.*
venir (ir) a poner: *to come* (*go*) *and put.*
El mozo viene a poner el equipaje en el tren: *The porter comes
　and puts the luggage in the train.*

Lectura

1. ¿Tiene Vd. un dormitorio cómodo en el hotel?—Sí,
gracias, muy cómodo. Da a la plaza, pero el dormitorio
de mi amigo da a un bonito jardín. 2. Vd. está de vacaciones, ¿no es verdad? — Sí, vengo de Inglaterra donde no
hace buen tiempo, pero aquí hace mucho calor. 3. Tomo
una taza de café o de té cuando para el tren, pero en España
tengo que beber café o vino en la cantina de la estación.
4. En un café el mozo trae una copa de vino, y pone la copa
en la mesa. Si hay varias personas viene a poner varias
copas en la mesa. 5 Estamos de vacaciones en la Costa
Brava. Y Vd., ¿está de vacaciones también? — Sí, vengo
en avión en verano a ver a varios amigos españoles en San
Sebastián. Es una playa encantadora, (*charming*) ¿no es
verdad? Hay otras por toda la costa de España y muchos
visitantes de España, Francia e Inglaterra vienen a pasar
las vacaciones de verano allí. Hace buen tiempo en San
Sebastián cuando hace mucho calor en Madrid y en las
ciudades del sur de España. Además (*in addition, besides*),
la playa es muy pintoresca.

Ejercicio 1 (uno).　Translate into Spanish:
1. I have money.　2. I make a journey.　3. I am bringing

a glass. 4. I fall. 5. I put the luggage. 6. I come to the station. 7. I say to the waiter. 8. I hear the train. 9. I go out of the house. 10. Have you (any) money? 11. Are you hot? 12. Are you (plur.) cold? 13. It is hot, very hot. 14. It is cold, very cold. 15. Have you to go out? 16. What do you say? 17. Are you going out? 18. Do you hear the plane? 19. Are you staying in the Hotel Continental? 20. Have you to give the money? 21. Are you on holiday? 22. Yes, I am on holiday. 23. We have a pretty room. 24. We come to Spain in summer. 25. We say to the waiter. 26. We hear the plane. 27. We put the luggage. 28. We go out of the cinema. 29. We are hot, very hot. 30. We are not cold. 31. We are on holiday. 32. We have a walk on the beach. 33. The coast is very picturesque. 34. The Costa Brava is (to the) north of Barcelona.

Ejercicio 2 (dos).

Conjugate the Present Indicative of (i) tener que salir; (ii) dar un paseo; (iii) tener calor; (iv) estar de vacaciones; (v) decir 'gracias'; (vi) hacer un viaje; (vii) venir a aprender el español; (viii) tener una carta que escribir; (ix) traer una taza de café; (x) salir para Madrid.

Conversación. Answer in Spanish in complete statements, using the words in brackets:

1. ¿Qué hace Vd. en la clase? (aprender el español). 2. ¿Por qué aprende Vd. el español? (*i.* pasar, vacaciones, España; *ii.* conocer más, España). 3. ¿Tiene Vd. que ir a España? (no, tener que). 4. ¿Tiene Vd. mucho dinero? 5. ¿Tiene Vd. vacaciones largas? 6. ¿Hace calor en España? (*i.* al norte, calor; *ii.* Madrid, al sur, mucho calor, verano; *iii.* Madrid, invierno: *winter*, frío). 7. ¿Hace frío en Inglaterra? (invierno). 8. ¿Por qué viene Vd. a la clase? (venir, aprender, conocer costumbres, vida diaria). 9. ¿Qué oye Vd. en la calle? (ruido, circulación). 10. ¿Oímos desde aquí los trenes? (*i.* Sí; *ii.* No). 11. ¿Qué dice Vd. a un amigo? (Buenos días). 12. ¿Dice Vd., '¿Cómo está Vd.?' a un amigo? 13. ¿Qué pone Vd. en la mesa? (tazas, copas).

14. ¿Da **Vd.** un paseo por la ciudad? (dar, paseo, mirar, vitrinas). 15. ¿Qué hace Vd. después de (*after*) la clase? (*i.* ir, otra clase; *ii.* regresar, casa). 16. ¿Qué trae Vd. a la clase? (papel, libros). ¿Qué dice Vd. a un amigo en la calle? 18. ¿Qué dice Vd. cuando recibe una taza de té? 19. ¿Cuándo tiene Vd. frío? 20. ¿Cuándo tiene Vd. calor? 21. ¿Qué pone Vd. en la mesa para beber? 22. ¿Qué pone Vd. en el tren? (equipaje). 23. ¿Qué tiene Vd. que leer para saber las noticias? 24. ¿Qué tiene Vd. que leer para aprender el español? (libro (*course*) de español). 25. ¿Y para conocer a España? (*i.* libros bien documentados; *ii.* un poco de historia). 26. ¿Qué tiene que hacer después (*afterwards*)? (*i.* visitar el país; *ii.* viajar por España). 27. ¿Hay corridas de toros todos los días? (No, durante, fiestas, ferias). 28. ¿Cuándo sale (*leave*) Vd. para España? (verano).

Ejercicio 3 (tres). Translate into Spanish:

1. When I come to the Spanish class (class of Spanish) I bring a book, a Spanish course. 2. I open the door (*puerta*) and enter (into) the room (*sala*) where there are other persons who are going (*van a*) learn Spanish. 3. I say 'Good morning' (*días*) or 'Good evening' (*tardes*: fem.) to the teacher (*profesor, -a*) and I take a (omit 'a') seat. 4. I talk a little (*poco*) to (with) the others and then (*luego*) the teacher says: 'Buenos días (Buenas tardes), señoras y señores.' 5. With the others I say, 'Buenos días (-as tardes), señor(-a)' and then we begin (*comenzar*) the lesson. 6. The room looks-out-on to a garden and there is not much noise. 7. The teacher of Spanish says that I am making progress (*adelantos*). 8. I say 'Adiós' when the lesson ends (*terminar*), and I go-out of the room and return home.

LECCIÓN SEXTA

Root-changing Verbs. Class I

13. Certain verbs ending mostly in -ar and -er change the *accented* vowel of the root (see note following) in the Present Indicative, Imperative, and Present Subjunctive. Such verbs are shown in the Glossary thus: *encontrar(ue)*: to meet.

Note. The root, or radical, or stem, is the part remaining when the infinitive ending -ar, -er, -ir is removed.

e.g. *habl*-ar, *com*-er, *viv*-ir.

These root-changing verbs change root 'e' to 'ie,' and root 'o' to 'ue' when the stress falls on the root thus:

Present Indicative: empezar a, *to begin to*

	empi*ezo*, *I begin, am beginning, do begin*
	empi*ezas*, *you begin, are beginning, do begin*
(Vd.)	empi*eza*, *he, she, it, (you) begins, is beginning, does begin*
	empez*amos*, *we begin*, etc.
	empez*áis*, *you* ,, ,,
(Vds.)	empi*ezan*, *they (you)* ,,

Present Indicative: encontrar, *to meet, to find*

	enc*uentro*, *I meet, am meeting, do meet*
	enc*uentras*, *you meet, are meeting, do meet*
(Vd.)	enc*uentra*, *he, she, it, (you) meets, is meeting, does meet*
	encontr*amos*, *we meet*, etc.
	encontr*áis*, *you* ,, ,,
(Vds.)	enc*uentran*, *they (you)* ,,

Common verbs of this type are: **cerrar** (*close*), **costar** (*cost*), comenzar a (*begin to*), contar (*count, relate*), jugar (*play*), probar (*prove, try, test*), volver (*return*), pensar, entender, perder, poder, preferir, querer.

27

Ejercicio 1 (uno).

Repeat the Present Indicative of the verbs given above.

Ejercicio 2 (dos).

Conjugate the Present Indicative of (i) cerrar la maleta; (ii) empezar a leer; (iii) comenzar a escribir; (iv) jugar al tenis; (v) probar un pitillo; (vi) volver a casa; (vii) pensar ir a España; (viii) perder el tren; (ix) poder salir; (x) encontrar un buen hotel.

VOCABULARIO

el país, country
  sur, south
  este, east
  oeste, west
  campo, field, countryside
  pie, foot
  valle, valley
  monte, mountain
  verdor, greenness
  marinero, sailor
  bosque, wood, grove

la nieve, snow
  población, town
  niebla, fog, mist
  torre, tower
  iglesia, church
  marina, navy
  llanura, plain

la legumbre, vegetable
  naranja, orange
las uvas, grapes
  aceituna, olive
  belleza, beauty

alto, -a, high
caliente, hot
rodeado, -a, surrounded

encontrar(ue), meet (a person), find (a thing)
rodear, to surround
envolver(ue), to envelop, wrap
alegrar, to gladden
jugar(ue), play (games)
perder(ie), lose, miss (train)
pensar(ie) en, think of
casi, almost

LECTURA
Un Poco de Geografía

España es un país al sudoeste de Europa, un país hermoso y pintoresco, y de climas variados.   Al norte se encuentran (lit. *find themselves*) montañas muy altas, los Pirineos, y al sur la Sierra Nevada.   Estas (*these*) montañas tienen nieve en su parte superior durante casi todo el año.   En la región de Galicia al noroeste del país está situada Santiago de Compostela al pie de valles hermosos y rodeada de montes.   Los campos que rodean la población son muy agradables y de un verdor eterno.   Muchas veces la niebla envuelve las numerosas torres de sus iglesias.   De Galicia vienen marineros a la marina española.

  Al este en las regiones de Valencia y Murcia, y al sur en Andalucía hay llanuras tórridas donde se encuentra toda clase de frutas y legumbres.   Los productos más conocidos

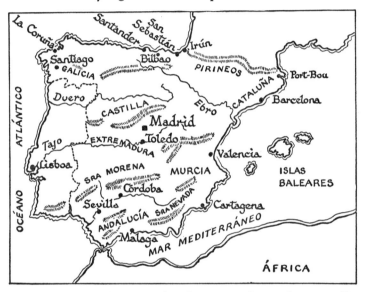

en el mundo son las naranjas, las uvas y las aceitunas.   En Valencia los bosques de naranjas alegran el aire con el perfume y el color de sus frutas.   En Andalucía está el turista en el hermoso país del sol, el país de la gracia, del arte y de la belleza.

Ejercicio 3 (tres).   Translate into Spanish:

1. I close the door.   2. I begin the lesson.   3. I count the money.   4. I play (*al*) football (*fútbol*), tennis (*tenis*).   5. I try the cigarettes.   6. I return home (*a casa*).   7. I think.   8. I understand.   9. I don't understand.   10. I lose a ticket.

11. I miss the train. 12. It costs two pesetas. 13. It doesn't cost much. 14. It costs little (*poco*). 15. I find the passport. 16. I wrap up the books. 17. I cannot go out.

Ejercicio 4 (cuatro).

In the preceding exercise replace 'I' by (i) 'he' ('she,' 'it'), (ii) 'you' (Vd.), (iii) 'we,' (iv) 'they,' 'you' (Vds.) (omit Nos. 12–14).

Conversación. Answer in Spanish in complete statements, using the words in brackets:

1. ¿Empieza Vd. a aprender el castellano (or, español)? 2. ¿Cuánto (*how much*) cuesta el libro? (3 pesetas). 3. ¿Cuánto cuestan los periódicos? (1 peseta). 4. ¿Juega Vd. al fútbol? (algunas veces). 5. ¿Juega Vd., señorita al tenis? (muchas veces). 6. ¿Juegan los ingleses al fútbol? 7. ¿Y los españoles? 8. ¿Jugamos al fútbol en verano? 9. ¿Cuándo jugamos al tenis? 10. ¿Cuándo tiene Vd. calor? 11. ¿Cuándo vuelve Vd. a casa? (después de, lección). 12. ¿Cuándo vuelve Vd. a Inglaterra? (después de, vacaciones). 13. ¿Cuándo volvemos a casa? 14. ¿En qué piensa Vd.? (en, vacaciones). 15. ¿En qué pensamos después de leer la 'Lectura'? (geografía, España). 16. ¿Piensa Vd. en las vacaciones? 17. ¿Pierde Vd. el autobús? (algunas veces). 18. ¿Pensamos en las vacaciones en invierno? 19. ¿Cuenta Vd. su (*your*) dinero en los almacenes? (Sí, mi dinero). 20. ¿Cuánto cuestan las naranjas? (2 pesetas).

Ejercicio 5 (cinco). Translate into Spanish:

1. I am beginning to learn a little of the geography of Spain. 2. We begin the Spanish lesson (the lesson of Spanish). 3. I find my (*mis*) books on the table. 4. We find the time-table in the room. 5. They find the money in the overcoat. 6. I close the book when the lesson ends (*terminar*) and I return home. 7. They have a walk on the beach and find some money. 8. How much does the book cost? (costs the book). 9. How much does the journey cost? 10. The tickets are (cost) not much. 11. Does it cost much?

(costs it much).   12. No, it doesn't cost much.   13. Do they play football in Spain?   Yes, they play football a good deal in Spain.   14. I try (the) Spanish cigarettes.   15. Do you try the wines when you are in Spain?   16. They try (the) Spanish tea.   It is not good.   Then they try (the) Spanish coffee, and it is very good.   17. We return from Spain very pleased (*contento*, *-a*, etc.).   18. I spend a few days in Barcelona and then I return to Valencia.   19. My friends return too.   They are very pleased.   20. We miss the train sometimes.

LECCIÓN SÉPTIMA

Personal 'a'

14. The preposition 'a' is used before a direct object which is:

(i) A proper noun (e.g. names of persons, countries, towns, etc.).

e.g. Veo *a* Juan en el patio: *I see* John *in the patio.*
Pablo visita *a* Barcelona: *Paul visits* Barcelona.
Los árabes transforman *a* Valencia en huerto: *The Arabs convert* Valencia *into a fruit garden.*

(ii) A noun referring to a definite and particular person or persons.

e.g. El señor Churchill recibe *a*l embajador de los Estados Unidos: *Mr Churchill receives the United States* ambassador.
Saludo *a*l profesor: *I greet the* teacher.
¿*A* quién busca Vd.?: Whom *are you looking for?*

Note. There is a growing tendency in Spain at the present time to omit personal 'a' before proper nouns referring to countries, towns, etc. It *must* be used before nouns referring to particular persons.

Ejercicio. See end of Lesson—Practice 1.

15. Possessive Adjectives.

(i) *Sing.* *Plur.*
mi	mis	*my*
(tu	tus)	*your* (familiar)
su	sus	*his, her, its, their, your*
nuestro, -a	nuestros, -as	*our*
(vuestro, -a	vuestros, -as)	*your* (familiar)

32

Possessive adjectives agree with the noun following them.

e.g. mi esposo: *my husband*   mi esposa: *my wife*
nuestro hotel: *our hotel*   nuestra casa: *our house*
nuestros pasaportes: *our passports*

(ii) Since 'su' may mean 'his,' 'her,' 'its,' 'their,' 'your,' ambiguity is avoided, wherever necessary, by adding:

de él (*of him, of it* (masc.))
de ella (*of her, of it* (fem.))
de Vd(s). (*of you*).

e.g. Aquí está su equipaje de él (*or*, El equipaje de él):
Here is his luggage.

¿Dónde está su equipaje de ella (*or*, El equipaje de ella?): *Where is her luggage?*

Allí están dos señoras.   ¿Cuál es su esposa de Vd?

or, Allí están dos señoras.   ¿Cuál es la esposa de Vd.?:
There are two ladies.   Which is your wife?

Ejercicio. See end of Lesson—Practice 2.

16. The following forms of the possessive adjective are sometimes used *after* the noun to give emphasis or to translate the English 'of mine,' etc.

mío(s), mía(s)   nuestro(s), nuestra(s)
(tuyo(s), tuya(s))   vuestro(s), vuestra(s)
suyo(s), suya(s)

e.g. Un conocido mío: *An acquaintance of mine.*
Algunos conocidos nuestros: *A few acquaintances of ours.*

Ejercicio. See end of Lesson—Practice 3.

17. Possessive Pronouns.

The forms given in Par. 16 (mío(s), mía(s), etc.) are used as possessive pronouns, combined with el, la, los, las, thus:
el mío, la mía, los míos, las mías: *mine*
(el tuyo, la tuya, los tuyos, las tuyas): *yours* (familiar)
el suyo, la suya, los suyos, las suyas: *his, hers, its, theirs, yours*
el nuestro, la nuestra, los nuestros, las nuestras: *ours*
(el vuestro, la vuestra, los vuestros, las vuestras): *yours* (familiar)

Note. el, la, los, las are omitted after ser (*to be*), unless emphasis is required.

e.g. ¿Tiene Vd. mi billete?   No, tengo el mío: *Have you my ticket?   No, I have mine.*

El suyo está en su saquito de mano: *Yours is in your hand-bag.*

¿Es éste el asiento del señor López?   No, es mío: *Is this Mr López's seat?   No, it is mine.*

Ejercicio. See end of Lesson—Practice 4.

VOCABULARIO

el comedor, dining-room	**las cosas de interés, sights** (of a town)
conocido, -a, acquaintance	
compañero, -a de viaje, travelling companion	preguntar, to ask, inquire
empleado de la aduana, customs officer	contestar, answer
	creer, believe
coche comedor } dining-car vagón-restaurante }	saber, know (a fact)
	desear, wish
padre, father	
padres, parents	bajo, under
camarero, waiter (hotel, restaurant)	por favor, please
	¿por qué?, why?
	porque, because
la maleta, suit-case	hacia, towards
hora, hour	¿quién-es?, who?
iglesia, church	¿a quién(-es)?, whom?
ropa, clothes	al llegar, on arriving
revista, magazine	después de llegar, after arriving
	antes de llegar, before arriving
el (la) hermano, -a, brother, sister	acerca de, about, regarding

Lectura 1

1. Si no veo *a* mis compañeros de viaje en la estación concurrida pregunto *a* mi amigo, diciendo (*saying*): '¿Dónde están los otros?' 2. Cuando deseo saber la hora del tren pregunto a un empleado de la estación, diciendo, '¿A qué hora sale el tren, por favor?' 3. Voy a visitar (*a*) Barcelona el año próximo (*next*). Mis padres están de vacaciones ahora en Barcelona, y mi hermana está en París. Mis

padres viajan mucho por España, porque mi padre es hombre de negocios (*business*) y tiene que hacer varios viajes a España todos los años. ¿Conoce Vd. (*a*) París? Allí hay edificios hermosísimos (*most beautiful*), por ejemplo la iglesia de Nuestra Señora. '¿Conoce Vd. la iglesia?' — 'No, no conozco (*a*) Paris.' 4. En la aduana pregunta el carabinero *a* los viajeros: '¿Tiene Vd. algo (*something, anything*) que declarar? ¿Es ésta (*this*) su maleta, señor?' Contesto: 'Sí, es mía. Las dos maletas son mías.' Luego, después de la visita (*search, examination*) de la aduana salgo de la sala hacia los trenes.

LECTURA 2

Un poco más de geografía. El pueblo catalán es el más industrioso de España. Ya (*already*) en la Edad Media (*Middle Ages*) Barcelona y Tarrasa se conocían (*were known*) como centros de fabricación de paño (*cloth*) y tejidos, y fue (*it was*) la primera región española que adoptó [past tense] las máquinas de vapor (*steam*) y las industrias eléctricas. Las manufacturas, la pesca (*fishing*) y el comercio son actividades muy conocidas en otras provincias de España, pero mucho más en Cataluña.

Cuando miro por la ventana de mi dormitorio que da a la Rambla (calle ancha con árboles; avenida; bulevar) veo, bajo los magníficos árboles (*trees*) que dan sombra (*shade*) a la calzada, un gentío (*crowd*) inmenso que circula a todas las horas del día. Londres, París y Nueva York no tienen movimiento más intenso ni más continuo. Hay numerosos puestos (*stalls*) de flores, quioscos (*kiosks*) llenos (*full*) de periódicos y revistas, largas filas de sillas (*chairs*) bajo los árboles, y el movimiento continuo de peatones (*pedestrians*) y de coches. Barcelona es, en verdad, una magnífica ciudad.

Ejercicio 1 (uno). Translate into Spanish:

1. My clothes. 2. Your luggage. 3. Your magazines. 4. Our acquaintances. 5. His ticket. 6. My wife. 7. Their

friends. 8. An acquaintance of yours. 9. To a friend (masc., fem.) of mine. 10. About our tickets. 11. With her suit-case. 12. A letter for your parents. 13. Near his seat. 14. Towards our hotel. 15. In front of their hotel. 16. With their cups of coffee. 17. In her room too. 18. In your compartment. 19. Where are your cigarettes? Here are mine. 20. His English friends. 21. My seat in the dining-car. 22. Our waiter. 23. Under her table. 24. His sisters and some friends of ours. 25. They are friends of his.

Conversación. Answer in Spanish in complete statements, using the words in brackets:

1. ¿Qué ciudades va a ver Vd. en España? (Madrid, Barcelona). 2. ¿A quién ve Vd. en el andén? (el señor López). 3. ¿A quiénes visita Vd. en Barcelona? (dos conocidos españoles). 4. ¿A quién recibe el señor Churchill? (el embajador de los EE. UU.). 5. ¿A quién mira Vd. en el andén? (el mozo). 6. ¿En qué cuarto de su casa recibe Vd. a sus amigos? (salón). 7. ¿Tiene un jardín su casa? 8. ¿Son ingleses(-as) sus compañeros de clase? 9. Es su libro (de Vd.) ¿no es verdad? (Sí, mío). 10. ¿No es el libro del señor López? (no, mío).

Ejercicio 2 (dos). Translate into Spanish:

1. San Sebastian has a beautiful beach, hasn't it? 2. There are bullfights too, aren't there? 3. It is warm, isn't it? 4. Are you warm? — Yes, very (much). 5. Have we to wait long(-time)? — A few minutes, I think (believe). 6. You have to pass through the Customs, haven't you? 7. It's the Customs, isn't it? — Yes, there's the Customs. 8. He is a customs officer, isn't he? — Yes, he examines (*examinar, visitar*) your luggage. He examines mine too. 9. Before visiting Spain. 10. After having a walk along the Rambla Canaleta. 11. On seeing my friends in the Plaza de Cataluña. 12. I have a few books about Spain. 13. I see a friend of mine in the hotel. 14. We are going to ask the waiter if he will (is willing) bring two coffees. 15. Are you waiting-for your friends? No, I am waiting-for my parents;

they are looking-for their luggage. 16. Do you ask the customs officer if he will examine your luggage? 17. Do you know (*el*) señor Lopez? He lives in Barcelona; his house is near the Rambla Canaleta; his parents live in Madrid; their house is near the Gran Vía; they are friends of mine. 18. I know his parents well.

1. *Practice to follow Par.* 14.

Conjugate the Present Indicative of: (i) Ver a un amigo; (ii) Preguntar al mozo; (iii) Encontrar a algunos españoles; (iv) Contestar al empleado de la aduana; (v) Esperar a los turistas; (vi) Mirar a los viajeros en el andén; (vii) Tener dos hermanos; (viii) Buscar al mozo; (ix) Conocer al señor López; (x) Detener a un amigo en la calle.

2. *Practice to follow Par.* 15.

(*a*) Put the correct form 'mi, su, nuestro' before each of the following: asiento, casa, maletas, padres, compañeros, cartas, equipaje, ropa.

(*b*) Avoid the ambiguity of 'su(s)' by using de él (*of him*), de ella (*of her*), de Vd. (*of you*).

Model: Aquí está la maleta de él   (*his suit-case*)
Aquí está la maleta de ella   (*her suit-case*)
Aquí está la maleta de Vd.   (*your suit-case*)

1. It is his (her, your) seat. 2. They are his (her, your) friends. 3. There is your (her, his) house. 4. Here are her (his, your) suit-cases. 5. I am bringing his (her, your) coffee. 6. I have his (her, your) ticket. 7. I prefer (*preferir: prefiero*) his (her, your) room. 8. I am trying his (her, your) cigarettes. 9. I am thinking of (*en*) his (her, your) holidays.

3. *Practice to follow Par.* 16.

Translate: 1. A friend of mine, of his, of ours. 2. A friend (fem.) of mine, of his, of ours. 3. A few friends of mine, etc. 4. An acquaintance of mine, etc. 5. A few magazines of mine, etc. 6. It is no fault (*culpa*) of mine, etc. 7. (*El*) señor López is a friend of mine, etc.

4. *Practice to follow Par.* 17.
   Model:

(*a*) Prefiero el mío,   prefiero el suyo,   prefiero el nuestro
(*b*)   „   la mía,   „   la suya,   „   la nuestra
(*c*)   „   los míos,   „   los suyos,   „   los nuestros
(*d*)   „   las mías,   „   las suyas,   „   las nuestras

   1. I am trying mine, etc. (*a, b, c, d*).   2. I have mine, etc.
3. I see mine, etc.   4. I am looking-for mine, etc.   5. I am
reading mine, etc.   6. I receive mine, etc.   7. Are you
trying mine, etc.?   8. Have you mine, etc.?   9. Do you see
mine, etc.?   10. Are you reading mine, etc.?

LECCIÓN OCTAVA

The Imperative (Commands) [1]

With this lesson learn the Present Indicative of 'ir,' to go

18. (i) To express a command in Spanish in the 'polite form' (i.e. using 'Vd.'), verbs ending in -ar have the endings -e (singular), -en (plural), and verbs ending in -er, -ir have the endings -a (singular), -an (plural).

e.g. Hable Vd. Hablen Vds.: *Speak!*
　　　Lea Vd. un periódico. Lean Vds. un periódico: *Read a newspaper!*
　　　Suba Vd. al tren. Suban Vds. al tren: *Get into the train!*

(ii) For irregular verbs apply these endings (-e, -en, *or* -a, -an) to the *stem of the first person singular Present Indicative.*

e.g.

Infin.	First pers. sing. Pres. Indic.	Imperative
traer	traigo	traiga Vd., traigan Vds.: *Bring!*
venir	vengo	venga Vd., vengan Vds.: *Come!*

Ejercicio.

Form the 'polite' Imperative singular and plural, giving the meaning, of:

i. Pasar, mirar, esperar, tomar, llevar, quedar, comprar, cambiar, contestar, dar un paseo, estar, comer, beber, ver, leer, aprender, subir, abrir.

ii. Irregular verbs (use the *stem* of the first person singular Present Indicative): decir, poner, salir, traer, venir, tener la bondad (*have the kindness* (*to*). *kindly* . . .), hacer el favor (*Please* . . .), ir.

---

[1] The familiar Imperative is formed thus:

hablar	(sing.) habla	(plur.) hablad	*Speak!*
comer	come	comed	*Eat!*
vivir	vive	vivid	*Live!*

19. **Infinitive after Prepositions.**

To translate an English verb after the prepositions 'a, de, para, después de, antes de,' use the infinitive of that verb in Spanish.

e.g. Para ir: (*in order*) *to go*. Antes de ir: *Before going*. Después de salir: *After going out*. Al llegar a casa: *On arriving home*.

20. **Word Order.** When a word or phrase other than the subject begins an English sentence the subject in Spanish often follows the verb.

e.g. Cuando llega la hora de comer: *When the time to dine arrives*.

VOCABULARIO

el **postre** dessert
  mantel, table-cloth
  pollo, chicken
  cuchillo, knife
  tenedor, fork
  plato, dish, food (in dish)
  helado, ice(-cream)
  fin, end
los **guisantes**, peas

la **cuchara**, spoon
  cucharita, spoon (tea, coffee)
  lista de comidas } menu(-card)
  minuta, el menú }
  patata, potato
  carne (de vaca), meat (beef)
  cuenta, bill, account

la **propina**, tip
  sopa, soup
  ensalada, salade
  emoción, excitement

escoger, select, choose
charlar, chat

pronto, immediately, soon
luego, then, next
bien, well
después, afterwards
Haga el favor de, Please . . .
por favor, . . . please (when coming
      last in the sentence)
¡Vamos a . . .! Let 's . . .!
¡Vamos a ver! Let 's see!

LECTURA

El tren expreso está marchando (*going*) a toda velocidad hacia Barcelona. Por las ventanillas (lit. *small windows*) del departamento miramos con emoción el paisaje (*countryside*) encantador de Cataluña, sus montañas altas y llanuras verdes. El viaje es largo, y naturalmente tenemos buen apetito, pero al fin llega la hora de comer. Pasamos todos al coche comedor (al vagón-restaurante) del tren y tomamos asiento en una de las mesitas (*little tables*). Naturalmente hay en la mesa un mantel, cuchillos, tenedores, cucharas, vasos, y una lista de comidas (una minuta). Miramos la lista para escoger los platos que deseamos. Luego, decimos al camarero: 'Haga el favor de traernos(-nos: *us*) sopa, y después, (carne de) vaca con patatas y guisantes. Para postre un helado.' El camarero dice: 'Está bien, señor,' y después de algunos minutos vuelve trayendo (*bringing*) la comida que comemos con placer (*pleasure*), pues (*for*) tenemos buen apetito.

Oigo a otro turista que dice al camarero: 'Traiga (Vd.) sopa de tomates, pollo en ensalada con patatas, y una taza de café, por favor.' Otro dice: 'Déme(-me: Eng. *me*) la cuenta, haga el favor.'

Al recibir la cuenta, dice: 'Gracias.' Paga la cuenta y da una propina al mozo. Al fin de la comida salgo del comedor con mis amigos, y volvemos todos al departamento donde fumamos pitillos y charlamos.

Ejercicio 1 (uno).

Form Imperative sentences in the 'polite' form (e.g. ¡*Hable* Vd.!), using the following verb-expressions. Add suitable words, as suggested, or others of your own.

1. Pasar las vacaciones (España). 2. Mirar los edificios (hermoso, calle). 3. Esperar (delante de, cine). 4. Comer un helado (postre). 5. Leer un periódico (saber, noticias). 6. Escribir una carta (dar, noticias). 7. Decir la hora (autobús). 8. Poner (*to set*) la mesa. 9. Salir por la tarde. 10. Traer un vaso de agua. 11. Venir (durante, vacaciones). 12. Traer (lista de comidas). 13. Dar un paseo (por, Ramblas). 14. Hacer el favor (traer, cuenta). 15. Ir a ver (amigos, salón). 16. Subir (*taxi*). 17. Preguntar al empleado (hora, tren). 18. Contestar a la pregunta (español). 19. Abrir su libro (leer un poco). 20. Decir la hora (*please*). 21. Salir pronto (llamar: (*call*); *taxi*). 22. Esperar un momento. 23. Quedarse en casa (hacer frío). 24. Aprender el español (ser muy útil). 25. Cruzar la calle (hacia,

almacén). 26. Beber un café (después de, comida). 27.
Fumar un pitillo (pasar, tiempo). 28. Cambiar de tren
(para ir, Madrid). 29. Ir a buscar (horario, trenes).
30. Hacer el favor (esperar).

Ejercicio 2 (dos). Translate into Spanish:

1. Look! Here's my ticket. 2. Wait a moment. 3.
Here you are! (said when giving something. Lit. 'take').
4. Stay here. 5. Buy a newspaper! 6. Change trains.
7. Please wait a moment! 8. Come in! (*pasar*). 9. Get
in(-to a train). 10. Please bring the menu card. 11. Tell
the waiter! 12. Drink your coffee! 13. Eat your ice!
14. Open your suit-case! 15. Go out to the 'pictures'!
16. Bring a cup of coffee, please. 17. Go (*pasar*) to the
dining car! 18. Go (*ir*) to the bullfight! 19. Go to my
hotel! 20. Look-at the time-table. 21. Wait on the platform! 22. Take a seat! 23. Stay in the dining-room!
24. Buy a ticket! 25. Change seats! 26. Pass (along) to the
lounge (*salón*)! 27. Tell (say to) your friends! 28. Bring
a newspaper, please. 29. Have you to go out? 30. Do you
want to have a walk? 31. A coffee spoon, please. With
excitement (Excitedly). Chicken with salad. 32. Several
(*varios, -as*) courses, then an ice. For dessert there are ices.
33. Afterwards we are going to go out. A coffee, immediately, please. 34. Soup, meat, potatoes, and peas, and
then an ice, please. Finally I return to the compartment,
and chat with my companions to pass the time. Of course,
I smoke a cigarette and read a newspaper or a magazine.
35. Let's look at the menu. 36. Let's have a walk with your
friends. 37. This (*este*) seat is mine. A newspaper?—
Read mine. 38. Do you prefer a coffee? We prefer yours
(masc.). Are you going back to your hotel? 39. Before
having a walk. After going out. On meeting our friends.
40. Do you understand? Can you buy cigarettes? Under
the seat.

LECCIÓN NOVENA

Subject Pronouns
Object Pronouns I

*With this lesson learn the Present Indicative of 'querer,' to wish, want,
and the Present Participle of 'hablar,' 'comer,' 'vivir' (Par. 38)*

21. The Subject Pronouns in English are: I, (thou), he,
she, it, we, you, they.   In Spanish these are:

yo, *I*	nosotros, *we*
tú, *you* (familiar)	vosotros, *you* (familiar)
él, *he*	ellos, *they* (masc.)
ella, *she*	ellas, *they* (fem.)
ello, *it* (neut.)	

These subject pronouns are used in Spanish:

(i) To express emphasis or contrast.

(ii) Where English uses a subject (I, he, etc.) with an
incomplete verb.

e.g. *I* am staying in this hotel, but he *is* not (i.e. he *is* not
staying).

Yo paro en este hotel, pero él no.

Present Indicative of 'hablar' with subject (emphatic) pronouns.

yo hablo	nosotros hablamos	*Practice :*
tú hablas	vosotros habláis	Do similarly: mirar,
él ⎫ habla	ellos ⎫ hablan	comer, vivir, tener,
ella ⎭	ellas ⎭	querer, ser, estar,
		hacer

VOCABULARIO

el anuncio, advertisement	lavar, to wash
espectáculo, ' show '	descansar, to rest
marido, husband	estar cansado, -a, to be tired
guía, guide	
	mañana, to-morrow, morning
la guía, guide-book, telephone direc-	además, moreover, besides
tory	cada, each, every
	al extranjero, abroad
proyectar, to show (a film)	rico, -a, rich
trabajar, to work	malo, -a, bad

43

Lectura

1. Yo hablo inglés, pero él habla inglés y español. 2. Nosotros queremos ir a ver las cosas de interés de la ciudad, pero ellos van a ver una película española. Dicen que es muy divertida. 3. Ella es española pero su marido es inglés. 4. Yo no tengo mucho dinero. Tengo que trabajar mucho para ir de vacaciones a España, pero él es rico y va al extranjero cada año. Yo no. 5. Yo voy a la playa, ¿y Vd.? ¿Va Vd. a quedar aquí? — No, voy a ver las cosas de interés de San Sebastián. Además, tengo que escribir algunas (tarjetas) postales. Luego, quiero leer un periódico español y mirar los anuncios acerca de los espectáculos.

Ejercicio 1 (uno). Translate, emphasizing the subject pronoun of each sentence:

1. *I* don't want to see a film, as (*pues*) *I* have a lot (much) to do. 2. *I* have a few letters to (*que*) write to acquaintances in England, but *he* wants to have a walk to the Plaza de Cataluña. 3. *He* doesn't speak Spanish, *I* do (*sí*). 4. *We* are going to Spain, *they* are going to France and the Pyrenees. 5. *I* am reading the advertisements in the paper. What are *you* doing? — *I* am looking at the countryside. It is charming, isn't it? 6. *We* are tourists, English tourists. 7. *I* am tired after the long journey; she isn't. 8. *I* want a cup of tea, but *he* doesn't. He says (that: *que*) (the) Spanish tea is bad. 9. *I* too want to go and (to) see a 'show,' but I am tired, and I am going to write a few cards. 10. Where is the guide? *He* has our tickets. 11. *I* too want a ticket for the bullfight, but my friends do not wish to go. 12. On seeing her friend come in (infin.). 13. On hearing their friends go (or, going: infin.) out. 14. When giving the ticket.

22. The *Object* Pronouns in English are shown below. The corresponding *Subject* Pronouns are given in brackets.

(I)	me	(we)	us
(thou)	thee		
(he)	him	(you)	you
(she)	her	(they)	them
(it)	it		

Object Pronouns in Spanish.

Learn by heart:

le *him, you* (m.)
la *her, you* (f.), *it* (f.)   le *to* { *him*
lo *it* (m.)   *her, to you*   les *to them,*
                                                          it   *to you* (plur.)
        las   *them* (f.), *you* (f.)   }
        los   *them* (m.), *you* (m.)   } plur.

The remaining pronouns are more easily learnt:

me   *me, to me*
te   *(thee) you, to you* (familiar, sing.)
se   *himself, herself, oneself, themselves, to himself,* etc.
nos   *us, to us*
os   *you, to you* (familiar, plur.)

23. *Position of Object Pronouns.*

(i) Object pronouns in Spanish precede the verb, except in the Infinitive, Positive Imperative, and the Present Participle (-ando, -iendo). In these three cases they follow the verb and are attached to it.

(ii) If the verb has *two* object pronouns, 'put the person before the thing' as in English ('Tell me it').

(For examples of object pronouns placed *before* the verb see Lesson 10.)

e.g. Para verle: *(in order) to see him.*
        Después de decirnos: *After telling us.*
        Tráigame un billete: *Bring me a ticket.*
        Espérele Vd. un momento: *Wait for him a moment.*
        Tráigamelo: *Bring me it.*

Para descansarse: (*in order*) *to rest himself* (*herself, oneself, themselves*).

Estamos comiéndola: *We are* (*in the act of*) *eating it.*

Note. The 'Present Continuous' form of the verb 'Estoy comiendo, *I am eating*,' is used in Spanish to express an action actually in progress at the time referred to. It is less common in Spanish than in English. e.g. Outside the Spanish class you would say: '*I am learning* Spanish: *Aprendo* el español.'

Ejercicio 2 (dos). Practice in using direct object pronouns (le, las, los) *after* the Infinitive, Positive Imperative, and Present Participle. In the following the verbs are underlined. Replace their noun objects by pronoun objects.

1. Quiero ver el espectáculo. 2. Voy a ver la Plaza de Cataluña. 3. Vamos a ver la iglesia. 4. Tengo que hacer el ejercicio para mañana. 5. El empleado de la aduana viene a examinar mi equipaje. 6. ¿Va Vd. a pedir (*ask for, order*) el café? 7. No vamos a ver la población (*town*). 8. Después de dar la propina. 9. Antes de comer el helado. 10. Al ver el anuncio en el periódico. 11. Después de dar los billetes al empleado. 12. Antes de ver las cosas de interés. 13. Al recibir las cartas. 14. Queremos comprar las postales. 15. Para mirar los bosques de naranjos. 16. Quiero ver los dormitorios. 17. Voy a esperar (*wait-for*) al guía. 18. Tengo que buscar al mozo. 19. Para ver a la señora de López. 20. Estoy esperando al guia. 21. Estamos escribiendo las postales a unos amigos ingleses. 22. Allí está su esposo; está consultando el horario. 23. En este (*this*) momento María está leyendo los anuncios. 24. Mi madre está poniendo (*to set*) la mesa. 25. Traiga Vd. la cuenta, por favor. 26. Espere Vd. el tranvía aquí. 27. Escriba Vd. la carta en español. 28. Esperen Vds. al guía en la calle.

Ejercicio 3 (tres).

Remember 'le'=him, and *you* (masc.). 'los,' 'las'=them, you (masc., fem., plur.). 'la'=her, and *you* (fem.). To avoid ambiguity, where necessary, add '. . . a Vd.'

e.g. Para verle a Vd.: (*in order*) *to see you* (masc.).

Para esperarla a Vd.: (*in order*) *to wait for you* (fem.).

Complete the following, as indicated:

1. Vienen a ver (*you*, masc. sing.) mañana. 2. Vamos a esperar (*you*, masc. plur.) en el comedor. 3. Tengo el gusto (*pleasure*) de presentar (*you*, masc. sing.) a mi amigo López. 4. No voy a esperar (*you*, fem. sing.). 5. Después de ver (*you*, fem. sing.). 6. Antes de encontrar (*you*, fem. plur.). 7. Al ver (*you*, masc. plur.) en el tranvía. 8. Tengo que esperar (*you*, fem. sing.), ¿no es verdad? 9. Vengo a ver (*you*, fem. plur.) después de la comida (*dinner*). 10. El mozo va a llevar (*you*, masc. plur.) a su dormitorio.

Ejercicio 4 (cuatro).

Practice on me (*me, to me*), nos (*us, to us*), le (*him, you*, masc., *to you*), les (*to you*, plur., *to them*). Complete the following sentences as indicated:

1. El guía va a señalar (me, us, you, sing., you, plur.) las cosas de interés. 2. El señor Alonso quiere presentar (me, us, you, masc. sing.) a su amigo López. 3. El hombre quiere vender (*sell*) (me, us, you, sing., you, plur.), algunas postales. 4. El camarero va a dar (me, us, you, sing., you, plur.) la cuenta. 5. Van a esperar (me, us, you, sing.) en el vestíbulo del hotel. 6. Traiga (me, us) café, por favor. 7. Diga (me, us) la hora del tren. 8. Haga (me, us) el favor de enseñarnos el dormitorio. 9. Digo al chófer (*driver*): 'Lleve (me, us) al Hotel Continental, por favor.' 10. Creyendo (me, us) enfermo-s, mi amigo va por el médico (*doctor*). 11. Viendo (me, us), en un departamento vacío dos españoles suben también. 12. Mi amigo está leyendo (to me, to us) una lista de las películas que proyectan en Barcelona. 13. Madrid está modernizando (*itself*). 14. Voy a explicar (*explain*) (to you, sing., to you, plur.) el plan de la **ciudad.**

Ejercicio 5 (cinco).   Translate into Spanish:

1. (In order) to see her.   2. In order to buy it (masc.).
3. After reading it (fem.).   4. After taking (*llevar*) us.   5. In
order to hear him.   6. After giving them (masc.).   7. In
order to buy me it (or, it for me).   8. To give me them
(masc.).   9. To tell us it (masc.).   10. I want to buy it
(masc.).   11. I want to see it (fem.).   12. I want to look-at
them.   13. I want to take them (fem.).   14. I have to
change it (masc.).   15. Have you to wait-for (await) him?
16. We have to bring them (masc.).   17. He is coming to
see us (to see me, to see you, masc., to see you, fem.).   18. I
am going to wash myself (i.e. me).   19. We are going to wash
ourselves (i.e. us).   20. I want to rest. 21. We are going
to rest.   22. He has to rest.   23. They are going to rest.
24. They are coming to see you (masc. sing., fem. sing.) to-
morrow.   25. They are going abroad to-morrow.   They go
to Spain each year and in addition (moreover) they spend a
few months in France.   They are rich.   26. The cinemas in
(of) Madrid show many American films.   The guide tells
us that there are Spanish films too.   27. Do you want to see
the advertisements for (of) the 'shows'?   The guide is going
to point-out to us the things of interest in (of) the town, isn't
he?   Yes, he is going to show us them to-morrow.   28. After
bringing me it.   On seeing it.   I'll (am going to) explain
it in English.   Before doing it.   29. Do it.   Give it.   Tell
me.   Tell us.   Tell him.   30. Wait-for me a moment.
Wait-for us in the hall of the hotel (hall: *vestíbulo*).

LECCIÓN DÉCIMA

OBJECT PRONOUNS II

With this lesson learn the Present Indicative of 'conocer,' 'parecer'

24. Object Pronouns preceding the verb.

e.g. Le veo cada día: *I see him each day.*
La conozco: *I know her.*
Me parece que . . .: (lit. *It appears to me*) *I think that . . .*
Le doy dinero: *I give him (her) money.*
Les escribo: *I write to them.*
No me traiga (Vd.) un café: *Don't bring me a coffee.*
No le dé (Vd.) un pitillo: *Don't give him (her) a cigarette.*

Note. Since 'le' can mean 'to him,' 'to her,' '*to you*' (sing.), and 'les' can mean 'to them,' '*to you*' (plur.), ambiguity can be avoided by adding 'a él' (to him), 'a ella' (to her), 'a Vd.'(to you), 'a ellos' (to them, masc.), 'a ellas' (to them, fem.). (See Lesson 20.)

VOCABULARIO

el mundo, world
  personaje, character (in book, play)
  caballero, gentleman, knight
  escudero, squire
  pastor, shepherd
  suelo, floor, ground
  carnero, sheep
  vecino, neighbour
  caballo, horse
  talle, stature, figure

la obra, (literary) work
  aventura, adventure
  aldea, village
  piedra, stone
  oveja, sheep

fuerte, strong
gracioso, -a, funny
maravilloso, -a, marvellous
triste, sad
fiel, faithful
corto, -a, short
malvado, -a, evil

acometer, attack
tirar, throw, fire
señalar, indicate
parecer, seem, appear, think

montado, -a, (en), riding (on)
según, according to
sin, without

49

Lectura
Miguel de Cervantes, 1547–1616

Miguel de Cervantes es uno de los autores famosos del mundo. Sin duda Vds. conocen su obra maestra (*master-piece*) la inmortal novela *Don Quijote de la Mancha,* el libro más célebre y universal después de la Biblia. El personaje principal de la novela es el caballero andante (*errant*) don Quijote, hombre fuerte y seco (*lean*). El héroe montado en su largo caballo flaco (*feeble*) 'Rocinante' sale de su aldea y viaja por el país con su buen escudero Sancho Panza. Sancho era (*was*) un vecino suyo de talle corto con la barriga (*paunch*) grande. Pasan por muchas aventuras maravillosas y, a veces, graciosas.

Una vez el hidalgo (*nobleman*) ve varios molinos de viento (*windmills*), y creyéndolos gigantes monstruosos los acomete con su lanza. Cae herido (*wounded*) al suelo. En otra ocasión le señala don Quijote a Sancho un rebaño (*flock*) de ovejas que, según él, son enemigos malvados. Los acomete, pero los pastores le tiran piedras, y una vez más cae el caballero al suelo herido y desmayado (*dispirited*). Al fin vuelven a su aldea el caballero andante y su escudero fiel, y muy tristes deciden abandonar su vida caballeresca (*chivalrous*) para hacerse pastores y vivir en paz en el campo.

Sin embargo (*however*) sale otra vez en busca de aventuras y le ocurren otras graciosas aventuras más. En cierta ocasión durmiendo (dormir, *to sleep*) en una posada (*inn*), cree que sus enemigos le acometen, y se defiende (infin. defender) acuchillando (lit. *knifing*) algunos inofensivos pellejos (*skins*) de vino que están en el cuarto. ¡Piensa que el vino derramado (*spilt*) es sangre de sus enemigos!

La novela es una sátira ingeniosa de los libros caballerescos y representa las opiniones de la gente sensata (*sensible*) del tiempo de Cervantes. Además, hay tantos (*so many*) personajes en el libro que constituye un panorama de la vida humana. Es un libro de filosofía práctica.

Ejercicio 1 (uno). Replace the noun objects by pronoun objects:

(*a*) 1. Conozco la novela de Cervantes. 2. Vd. cuenta a la clase las aventuras del caballero. 3. Don Quijote ve los molinos de viento. 4. Sancho da la lanza al Caballero, el cual (*who*) acomete pronto a sus amigos. 5. El jinete (*horseman*) llama al escudero, diciendo al escudero que va a acometer a los gigantes. 6. Miro el grabado (*picture, illustration*) de don Quijote; veo a Sancho montado en un burro (*donkey*).

(*b*) Complete the following sentences in Spanish by using each of the pronoun objects indicated:

(Nos. 1–9: *me, us, you,* sing. and plur., *them.*) 1. Un señor enseña el camino para la Ópera. 2. Un empleado dice la hora del tren. 3. El camarero da la cuenta. 4. El empleado de la estación contesta en español diciendo que el tren está en el andén. 5. El guía encuentra en el vestíbulo del hotel. 6. El profesor cuenta las aventuras de don Quijote. 7. Muchos turistas rodean en el bufete de la estación. 8. La gente no entiende. 9. Un madrileño enseña el camino para el cine. 10. (*me, us*) No traiga (Vd.) uvas; traiga naranjas. 11. (*me, us*) No hable (Vd.) en español; hable en inglés. 12. (*them*) Diga si el tren está lleno (*full*). 13. (*me, us, them*) Dé (Vd.) las noticias.

Ejercicio 2. (dos). Answer in Spanish in complete statements, using the words in brackets, and replacing the nouns underlined by pronouns.

1. ¿Lee Vd. periódicos españoles? (Sí). 2. ¿Conoce Vd. la novela *Don Quijote*? (Sí, un poco). 3. ¿Acomete don Quijote a los molinos de viento? 4. ¿Por qué acomete a los molinos de viento? (parecer gigantes). 5. ¿Acomete el caballero a Sancho? 6. ¿Lee Vd. las novelas españolas? (No). 7. ¿Va Vd. a leer las novelas españolas? (Sí). 8. ¿Va

'El Ingenioso Hidalgo Don Quijote de la Mancha'

Vd. a ver la película de Don Quijote? (*i.* Sí; *ii.* No).
9. ¿Desea Vd. ver la película? 10. ¿Quiere Vd. leer la
novela? 11. ¿Aprende Vd. el español? (Sí, en la clase).
12. ¿Por qué aprende Vd. el español? (aprender, ir a
España). 13. ¿Aprende Vd. las palabras en casa? 14.
¿Comprende Vd. el trozo (*extract*)? 15. ¿Qué decide hacer
don Quijote? (acometer, molinos). 16. ¿Le interesa (infin.,
interesar, *to interest*) a Vd. España? (Sí, mucho). 17. ¿Da
Vd. propinas a los camareros? 18. ¿Escribe Vd. a sus
amigos en el extranjero (*abroad*)? 19. ¿Fuma Vd. pitillos?
20. ¿Mira Vd. el paisaje por las ventanillas del tren?
21. ¿Tienen nieve (fem.) los Pirineos en verano? 22. ¿Comprende Vd. mis preguntas (*questions*)? (Sí). 23. ¿Me
entiende Vd. cuando hablo español? 24. ¿Hablan español
sus compañeros(-as)?

Ejercicio 3 (tres).

In the following sentences remember that 'le'=him, you
(sing.); to him, to you (sing.). Therefore add '. . . a Vd.' to
avoid ambiguity.
    Translate: 1. I know you. I don't know you. 2. I am
asking you. 3. I am waiting-for (awaiting) you. 4. I am
speaking to you. 5. Does he know you? 6. Doesn't he
know you? 7. Is she waiting-for you? 8. Do you think
that . . .? (Does it appear, seem to you that . . .?). 9. Don't
you think (that) it is cold? 10. He shows you the way
(*camino*). 11. He brings you a cup of coffee in (*por*) the
morning.

Ejercicio 4 (cuatro). Translate into Spanish:
    1. I think it (It seems to me) interesting, beautiful, useful,
amusing, boring, rather (a little) long, pretty, cheap, dear.
2. We think it (It seems to us) good. 3. He sends me, us, a
card. 4. He gives me, us, him, the menu card. 5. He
points out the sights (things of interest) to me, to us, to him.
6. He answers me, us, them, in Spanish. 7. He takes me,

us, them, to the cinema.   8. He looks-at me, us, them, in surprise (*con sorpresa*).   9. He brings me, us, them, a newspaper.   10. He hears us, me, them, speak (infin.), in Spanish.   11. He brings me, us, them, the tickets.   12. He writes me, us, them, a card.   13. It seems to me, us, them, impossible (*imposible*).   14. What do you think? (What does it appear to you?).   15. Sancho is a short man.   At times they go through funny adventures.   16. The knight sees several windmills, and believing them giants he attacks them. 17. According to the teacher, Cervantes is a very famous author.   On the ground.   A picturesque village.   18. On another occasion.   They become shepherds.   A sensible man.   19. A neighbour of mine.   Spanish villages.   The characters in the novel.   20 The knight's adventures are amusing.   Our adventures abroad.   Short in stature. Riding (mounted) on a donkey.

LECCIÓN ONCE

REFLEXIVE VERBS

25. The object pronouns given in Lesson 9, Par. 22, viz.
me, te, se, nos, os, are used in Reflexive Verbs.

Present Indicative: lavarse, *to wash oneself*

        me lavo, *I wash myself*

        te lavas, *you* (familiar) *wash yourself*

(Vd.) se lava, *he, she, it washes himself,* etc. (*yourself*)

        nos lavamos, *we wash ourselves*

        os laváis, *you wash yourselves*

(Vds.) se lavan, *they wash themselves* (*yourselves*)

Note 1. In Spanish, the definite article (el, la, etc.) is
used instead of the possessive adjective (mi, tu, su, etc.)
when referring to parts of the body and to clothing.

e.g.   Me lavo la cara (lit. *I wash to myself the face*): *I wash
my face.*

       Me pongo el abrigo: *I put on my coat.*

Note 2. The Spanish reflexive often translates the English
passive (it is found, it is seen, they are sold, etc.), and then
the subject is usually placed after the verb.

e.g.   Se emplea jabón perfumado: *Scented soap is used, or,
one (people) use scented soap.*

       Se venden polvos para la cara en la farmacia: *Face-
powder is sold at the chemist's.*

VOCABULARIO

desayunarse, to have breakfast
lavarse, to wash oneself
levantarse, to get up
acostarse(ue), to go to bed, to lie
   down
cansarse, to tire oneself
colocarse, (lit.) to place oneself,
   stand
quitarse, to take off (clothing)

sentarse(ie), to sit down
limpiar, to clean
arreglar, to settle, arrange (hair,
   etc.)
afeitarse, to shave
vender, to sell
soler(ue), be accustomed, or the English ' usually .' eg. Suelo salir
gustar, to please

el cuarto de baño, bath-room
jabón, soap
cepillo de dientes, toothbrush
cabello, hair
espejo, mirror
desayuno, breakfast
trabajo, work
tocador, dressing-table
caliente, hot
perfumado, -a, scented
tarde, late
en seguida, at once

como, as, like
por fin, finally
sin duda, without doubt

la cara, face
mano, hand
pasta dentífrica, toothpaste
salud, health
madre, mother
toalla, towel
farmacia, chemist's
el agua, water (fem.)

LECTURA

Por la mañana me levanto, a veces un poco tarde, y paso en seguida al cuarto de baño donde hay jabón, toallas, y cepillos de dientes, etc.—todo lo necesario para lavarse. Además hay agua caliente y fría como siempre se halla (se encuentra) en todas las casas modernas. Para mí, me gusta (lit. *it pleases me; I like*) lavarme la cara y las manos con jabón perfumado — es refrescante y el olor (*smell*) es muy agradable. Luego me limpio los dientes con una de las numerosas pastas dentífricas de que se venden varias marcas (*brands*) en los almacenes y, como es natural, en las farmacias. Es necesario para la salud tener los dientes limpios y blancos, y da confianza (*confidence*) poder sonreir (*smile*) y lucir (*display, show off, 'sport'*) nuestros hermosos dientes. Sin duda se limpia Vd. los dientes cada mañana y antes de acostarse, y quizás (*perhaps*) varias veces durante el día, ¿verdad?

Luego, me coloco delante de un espejo y me arreglo el cabello para hacerme presentable. Las señoras (damas) suelen arreglarse sentadas frente al (*facing*) tocador de su habitación (dormitorio) empleando, crema, polvos (*powder*) para la cara, y una barrita de labios (*lipstick*). Nosotros los hombres empleamos sólo (*only*) un poco de brillantina para fijar (*fix*) el cabello, nada más (lit. *nothing more*), pero como es natural, tenemos que afeitarnos diariamente, tarea (*task*) muy aburrida y a veces penosa (*painful*).

Por fin nos ponemos la ropa, y después de una mirada admirativa en el espejo bajamos muy de prisa (*hurriedly*) al comedor donde otros miembros de la familia están reunidos, preparándose a comenzar (empezar) el trabajo diario, leyendo el periódico o escuchando la radio. Me siento y empiezo a desayunarme.

Practice.

A 1. Translate: 1. I wash myself. 2. I get up. 3. I put on (to myself). 4. I sit down. 5. I go to bed. 6. I rest. 7. I shave. 8. I look-at myself.

A 2. In the above (A 1) replace 'I' by (i) 'he'; (ii) 'you'; (iii) 'we'; (iv) 'they'; (v) 'you' (Vds.); (vi) 'Do you . . . ?' (sing.); (vii) 'Do you . . . ?' (plur.); (viii) 'Don't you . . . ?' (sing., plur.).

Conversación. Contesten Vds. en español, en frases completas, empleando las palabras entre paréntesis.

1. ¿Se levanta Vd. tarde o temprano? 2. ¿Cuándo se levanta Vd. temprano? (soler, levantarse, todos los días). 3. ¿Se levanta Vd. siempre temprano? (*i.* No; *ii.* Sí). 4. ¿Dónde se lava Vd.? 5. ¿Por qué se lava Vd. en el cuarto de baño? (jabón, toallas, etc.). 6. ¿Con qué se lava Vd.? (agua fría, caliente, etc.). 7. ¿Se lava Vd. con agua fría? (¡madre mía! no gustar, agua fría). 8. ¿Se lava Vd. con jabón perfumado o no perfumado? 9. ¿Es agradable? 10. ¿Hay agua caliente en las casas? (*i.* modernas; *ii.* en el campo, no). 11 ¿Hay agua fría en las casas? (*ii.* en las ciudades y en las poblaciones; *ii.* en el campo, no). 12. Después de lavarse, ¿adónde va Vd.? (volver, habitación). 13. ¿Dónde se pone Vd. la ropa? 14. ¿Qué hace Vd. también en el cuarto de baño? (bañarse). 15. ¿Cuántas (*how many*) veces se baña Vd.? (— veces por semana: *week*). 16. ¿Qué hace Vd. en el espejo? (mirarse). 17. ¿Qué hacen Vds. en el cuarto de baño? (bañarse, lavarse, limpiarse los dientes). 18. ¿Qué hago yo en el cuarto de baño? 19. ¿Qué hago yo en el dormitorio? 20. ¿Qué hacen Vds. en la habitación? 21. ¿Qué hago yo en el espejo? 22. ¿Qué

hacen las damas para hacerse atractivas? (emplear polvos, etc.). 23. Y nosotros los señores ¿qué hacemos? (fijar, cabello, brillantina). 24. ¿Qué hace Vd. después de ponerse la ropa? (bajar, comedor, desayuno).

Ejercicio 1 (uno).

1. I get up early each morning and a little later in winter. 2. I like (It pleases me) to get up early in summer. 3. I always (adv. first) get up a little late in winter. Do you get up late? 4. My mother gets up late. 5. My father, however (*sin embargo*) gets up early and brings her a cup of tea in the bedroom. She likes it (It pleases her). 6. Sometimes he brings me a cup of tea too. He is very nice (*simpático*). 7. Well then (*Pues bien*), I get up and wash in the bath-room where there is all that is necessary to wash oneself. 8. The bath-room is very nice; it has hot and cold water like all (the) modern houses. 9. We usually (use *soler*) wash in the bath-room and put on our (the) clothes in the bedroom. 10. My bedroom overlooks the garden and it is very pleasant to look at it. 11. On dressing I go down(stairs) and have (take the) breakfast in the dining-room with the other members of the family.

Ejercicio 2 (dos). Idiom revision.

1. According to him, we have to leave by (in) the night train, and change trains at Burgos, haven't we? 2. I think it (It seems to me) rather (a little) late. I like to leave earlier. 3. We change (trains) several times before arriving at Barcelona, don't we? 4. Please bring us (the) breakfast in the bedroom, for (*pues*) we have to leave early and we don't want to miss the train. 5. What do you think (What does it appear to you)? 6. It is hot; I am going to open a window. Yes, open it. It looks out on to the patio. I am hot too. I don't like (the) heat. 7. Go and (to) put the suit-case near the door. 8. I am a bit tired. I am going to go to bed. 9. Here the people (one: *se*) go to bed late. 10. Are you going to have a walk! It is late, isn't it? 11. Don't put-on a coat; it is not cold. 12. I want to introduce (*presentar*)

to you a friend of mine. He is on holiday here in Barcelona. 13. Wait for me a moment; I am writing a card.
I want to send it to-morrow. 14. No doubt. Immediately. What do you want? Almost always. 15. I am
thinking of the holidays. The countryside. Several times.
Sometimes. At times. 16. They are showing a film.
Instead of you. Try these cigarettes. 17. I always get up
early. Buy me a lipstick and (some) toothpaste. 18. How
many times? I usually (*soler*) read a newspaper in the
train. 19. I shave, then I return to the bedroom. Before
going down(stairs). After getting up. Finally I go down.
20. I like to get up early. A towel and some hot water at
once, please. We are a bit tired.

LECCIÓN DOCE

With this lesson learn the Present Indicative of 'saber'

26. Cardinals.

1. un (uno, -a)	11. once	
2. dos	12. doce	20, 21. veinte, veinte y un(o) (veintiuno, -a), etc.
3. tres	13. trece	30, 31. treinta, treinta y un(o), -a, etc.
4. cuatro	14. catorce	40, 41. cuarenta, cuarenta y un(o), -a, etc.
5. cinco	15. quince	50, 51. cincuenta, cincuenta y un(o), -a, etc.
6. seis	16. diez y seis dieciséis	60, 61. sesenta, sesenta y un(o), -a, etc.
7. siete	17. diez y siete diecisiete	70, 71. setenta, setenta y un(o), -a, etc.
8. ocho	18. diez y ocho dieciocho	80, 81. ochenta, ochenta y un(o), -a, etc.
9. nueve	19. diez y nueve diecinueve	90, 91. noventa, noventa y un(o), -a, etc.
10. diez	20. veinte	100. cien(to), ciento uno, ciento dos, etc.

1,000 mil

Note 1. Note tres, trece, treinta; cuatro, catorce, cuarenta, etc., to nueve, noventa.

Note 2. un día, veintiún días, algún día (*some day*).
una persona, veintiuna personas (*twenty-one persons*).

Note 3. ¿Cuántas pesetas? Ciento: *How many pesetas? A hundred.*
But   Cien visitantes: *A hundred visitors.*

Note 4. In compound numbers 'y' (and) is placed before the *last* numeral, provided that the numeral immediately preceding the last numeral is less than 100.

e.g. ciento *cuarenta* y cinco pesetas: *145 pesetas* ('cuarenta' is less than 100).

But ciento dos pesetas: *102 pesetas.*   Ciento quince pesetas: *115 pesetas.*

	Regular		Irregular
Hundreds:			
200	*dos*cientos, -as	500	*quini*entos, -as
300	*tres*cientos, -as	700	*sete*cientos, -as
400	*cuatro*cientos, -as	900	*nove*cientos, -as
600	*seis*cientos, -as		
800	*ocho*cientos, -as		

Note 5. Nineteen hundred and fifty-four: *mil novecientos cincuenta y cuatro.* Two thousand: *dos mil.* A million: *un millón.*

27. **Ordinals.**

1st	primer(o), -a	6th	sexto, -a	After 10th use the
2nd	segundo, -a	7th	séptimo, -a	Cardinals, e.g.
3rd	tercer(o), -a	8th	octavo, -a	The twelfth
4th	cuarto, -a	9th	noveno, -a	lesson: Lección
5th	quinto, -a	10th	décimo, -a	doce.

Note. Omit -o of uno, primero, tercero alguno, ninguno before a masc. sing. noun. e.g. Un día, El primer día, El tercer día, Algún día, Ningún viajero (No passenger).

28. **Age.**   To translate the English 'to *be* fifteen years old' use the verb *tener.*

e.g. ¿Cuántos años tiene Vd.?   Tengo veintiún años: *How old are you?   I am twenty-one.*

29. **Time.**   *Ser*, to express the time of day.

e.g. ¿Qué hora es?   *Es* la una.   *Son* las dos.   ¿*A* qué hora llega Vd.? : *What time is it?   It is one o'clock, etc.   What time do you arrive?*

Es la una			*It is one o'clock*
,,	,,	y cuarto	,, *1.15*
,,	,,	y media	,, *1.30*
,,	,,	menos cuarto	,, *12.45*
,,	,,	y diez	,, *1.10*
,,	,,	y veinte	,, *1.20*
,,	,,	menos diez	,, *12.50*
,,	,,	menos veinte	,, *12.40*

Son las siete *de* la mañana: *It is seven* in *the morning* (7.0 *a.m.*)

Son las siete *de* la tarde: *It is seven* in *the evening* (7.0 *p.m.*)

Practice.

1. Es la una, son las dos, etc.
2. Es la una y cuarto, son las dos y cuarto, etc.
3. Es la una y media, son las dos y media, etc.
4. Es la una menos cuarto, etc.
   A la una menos cuarto, etc.
5. Es la una y diez, etc.
   A la una y diez, etc.
6. A *eso de* (about) la una y veinte.
7. A *eso de* la una menos veinte.
8. 8.0 a.m., 8.0 p.m., 11.15 a.m., 6.45, 7.20, 2.10, 5.50, 4.5, 4.55.
9. e.g. El tren de las 7: *The seven o'clock train.*
   (i) The eight o'clock train; (ii) The nine (ten, eleven, twelve) o'clock train; (iii) The one o'clock plane; (iv) The three o'clock boat (*vapor*); (v) The five o'clock boat; (vi) The evening performance (*función*); (vii) The 9.30 performance; (viii) The ten o'clock train, boat, plane, performance; (ix) The nine o'clock train, boat, plane, performance; (x) The morning (afternoon or evening, night) train.

30. **Dates.**

The days of the week: *Los días de la semana:*

domingo, *Sunday*	jueves, *Thursday*
lunes, *Monday*	viernes, *Friday*
martes, *Tuesday*	sábado, *Saturday*
miércoles, *Wednesday*	

The months of the year: *Los meses del año:*

enero, *January*	mayo, *May*	septiembre, *September*
febrero, *February*	junio, *June*	octubre, *October*
marzo, *March*	julio, *July*	noviembre, *November*
abril, *April*	agosto, *August*	diciembre, *December*

Note 1. Use 'el' before days of the week:

e.g. Llega el lunes: *He is arriving on Monday.*
   No trabajo los domingos: *I don't work on Sundays.*

Note 2. Use 'de' before the year:

e.g. El primero (dos, tres, etc.) de agosto *de* 1954 (de mil
   novecientos cincuenta y cuatro).

Note 3:

   ¿A cuántos estamos?: *What is the date?*
   Estamos a treinta de septiembre: *It is 30th September.*

Note 4. For expressing the day of the month (except, the
first: el primero de —) use the cardinal numbers: el dos de
octubre, el tres de, el veinte de.

VOCABULARIO

el **panecillo**, roll (bread)
   desayuno, breakfast
   almuerzo, lunch
   reloj, watch, clock
   mes, month
   policía, policeman

la **merienda**, tea (meal)
   comida, meal (dinner)
   cena, (late) dinner
   función, performance
   semana, week
   mantequilla, butter

ligero, light (weight), slight
encantador, -a, charming
concurrido, -a, crowded, frequented
fresco, -a, cool

hasta, until, as far as
dentro de, within

pues, for, as, since
ahora, now

dormir(ue, u), to sleep
dormirse, to go to sleep
acercarse a, to approach
despertarse(ie), to wake up

la semana pasada, last week
la semana que viene (próxima), next
   week
hace algunos años, some years *ago*
hoy, mañana, ayer, to-day, to-
   morrow, yesterday
mañana por la mañana (tarde, noche),
   to-morrow morning (afternoon
   or evening, night)
ayer por la mañana (tarde), yesterday morning (afternoon)
anoche, last night

Lectura

¡A España!

El dos de agosto a eso de las diez de la noche salimos en el tren expreso para pasar algunos días agradables en una playa del norte de España, y ocho días más en su encantadora capital. Salimos de Francia el lunes, pues los viernes y los sábados están concurridos los trenes que salen de París para el mediodía (*south*) de Francia. Preferimos viajar a nuestras anchas (*ease*) y sin molestia (*trouble*), y por eso (*that*) escogemos el día mencionado para hacer nuestro viaje. El tren arranca (*starts*), y al salir de la estación vemos las luces (*lights*) de las afueras (*suburbs*) de París brillando en la oscuridad.

Dentro de media hora pasamos por los campos franceses y ya (*already*) a las diez y media de la noche hace un poco más fresco. Charlamos un rato (*while*), y luego a las once o las once y cuarto pasamos, un poco cansados, al coche cama. Apagamos (*put out*) la luz y dentro de poco a pesar (*spite*) del ruido de las ruedas (*wheels*) nos dormimos. Son las siete de la mañana cuando nos despertamos, y por las ventanillas del coche vemos brillar el sol, y ya hace más calor. En el coche comedor tomamos, algunos viajeros y yo, un desayuno ligero de café con leche (*milk*) con panecillos y mantequilla. Nos gusta mucho el desayuno a la continental aunque (*although*) a los turistas ingleses les es difícil acostumbrarse a un desayuno tan (*so*) ligero.

El tren está acercándose ya a la frontera española y pronto oímos a un policía francés que se acerca examinando los pasaportes. Al cabo (*end*) de algunos minutos estamos en Hendaya cerca de la frontera española, y en cuanto (*as soon as*) haya oportunidad vamos a emplear el idioma (*language*) que aprendemos desde (*since*) hace un año.

Conversación.

1. ¿A qué hora toma Vd. el desayuno? (7.45 a.m.).
2. ¿A qué hora sale Vd. de la casa? (8.10 a.m.). 3. ¿A qué

hora toma Vd. el autobús? (8.15 a.m.). 4. ¿Dónde sube
Vd. al autobús? (esquina (*corner*) de la calle). 5. ¿Cuándo
llega Vd. a la oficina? (8.45 a.m.). 6. ¿Va Vd. a pie (*foot*) a
la oficina? (*i.* Sí; *ii.* autobús; *iii.* tren). 7. ¿A qué hora
toma Vd. un café? (a eso de). 8. ¿Le gusta a Vd. el café?
9. ¿A qué hora va Vd. a almorzar (*to lunch*)? (12.30 en
punto (*prompt*)). 10. ¿A qué hora vuelve Vd. a casa?
(6 p.m.). 11. ¿Sale Vd. los domingos a la oficina? (no
trabajar). 12. ¿Cuál (*which*) es el primer día de la semana?
¿El tercero? ¿El último (*last*)? 13. ¿Cuál es el segundo
mes del año? ¿El cuarto? ¿El último? 14. ¿Va Vd. a
España? (mes que viene). 15. ¿Es ésta (*this*) la lección doce?
16. ¿En qué página (*page*) estamos? (en la página —). 17.
¿Por qué mira Vd. su reloj? (saber, hora). 18. ¿Qué hora
es? 19. Dígame la hora, por favor. 20. ¿A cuántos
estamos hoy? (1st Nov., 2nd Dec., 3rd Jan., 4th Mar., 5th
April, 16th June, 19 July, 21st Aug.). 21. ¿Cuántos años
tiene su hermano, su hermana? (22 years, 17 years). 22.
¿Cuántos años tienen sus padres? (no saber).

Ejercicio.

1. He is going to arrive on Sunday, Monday, etc. 2. I
come to the class on Mondays. 3. I don't come to the class
on Saturdays. 4. I have a walk on Sundays. 5. I am
leaving for Spain on Wednesday, the first of August. 6. We
are leaving for Madrid next week. 7. Are you leaving for
Burgos to-morrow morning? 8. They are going to the
'pictures' to-morrow evening. 9. We are not going to have
a walk on Sunday, but (*sino*) on Saturday afternoon. 10. I
am not leaving for Spain to-morrow night, but (*sino*) on
Monday morning by (*en*) the ten o'clock train. 11. The
train does not leave for Irún this (*esta*) morning, but to-
morrow morning. 12. Until to-morrow afternoon, until
Saturday of (the) next week, until Friday of (the) last week.
13. Three days (months, years) ago. 14. Some (A few)
minutes (hours, days, months, years) ago. 15. Yesterday
morning (afternoon), last night. 16. About 7.0 p.m. At

eight o'clock prompt. 17. When do you go on holiday (*ir de vacaciones*)? I think (that) it is in January (February, March). 18. I like April (May, June) in Barcelona. 19. I don't like July in Madrid. It is too (*demasiado*) hot, above all in the afternoon. 20. I like August in San Sebastián. It is the first month of my holidays. 21. I go on holiday in September. I like September. It is not too hot. 22. (A) hundred kilograms (*kilogramo*). 200 kilograms of luggage. 23. 300 tourists, a thousand pesetas. 24. £15 (pound: *una libra*), £100.

Si quieres que te diga
Cuántos son cinco,
Los dedos de la mano
De mi marido.

el dedo: *finger*.

LECCIÓN TRECE

DEMONSTRATIVE ADJECTIVES AND PRONOUNS
(this, that, these, those)

31. Demonstrative Adjectives.

este, -a, -os, -as, *this, these* (for endings compare 'el, la, los, las')

ese, -a, -os, -as
aquel, aquella, -os, -as } *that, those*

'Ese' denotes that which is near the person addressed, or which concerns him.

'Aquel' denotes that which is remote from both the person addressed and the speaker., in time or in place

Ejercicio 1.

(i) Use the correct form of 'este' before: mañana, tarde, noche, tren, mes, semana, noticias, parada, pasteles, país, señores, dormitorio, habitación, época, vez, panecillos, reloj, función.

(ii) Use the correct form of 'aquel' before: noche, día, almacén, vestidos en la vitrina, parada, hoteles, época del año, turistas, pensión, mozo en el andén, maletas, edificio, postales ilustradas, calle, asiento.

(iii) Complete the following:

1. (That) idea (i.e. of yours) es ridícula. 2. (That) saquito de mano (which you have) es muy bonito. 3. (Those) artículos (i.e. of yours) son baratos. 4. (That) película (i.e. which you mention) es muy divertida. 5. Hace mucho calor en (that) época del año (i.e. which you mention). 6. (That) noticia (i.e. of yours) es muy interesante. 7. ¿Viene Vd. a verme (this) tarde? noche? 8. ¿Cuánto cuesta (that) libro que Vd. tiene en la mano? 9. Déme (those) pasteles (near you). 10. Me gusta (that) vestido que Vd. lleva. 11. ¿Cómo se llama (that) libro que Vd. lee? 12. (That) película (which you mention) es de Hollywood. No es española.

32. Demonstrative Pronouns. The demonstrative pronouns in Spanish have the same form as the demonstrative adjectives with the addition of an accent, thus:

éste, ésta, etc.	*this*, or *this one*, *these*, *the latter*
ése, ésa, etc.	*that*, or *that one*, *those*
aquél, aquélla, etc.	*that*, or *that one*, *those*, *the former*

¿Quiere Vd. cerrar la ventana, por favor?—¿Esta?—No, aquélla: *Will you close the window, please? This one? No, that one (over there).*

Neuter-Demonstrative Pronouns. The neuters *esto* (this), *eso*, *aquello* (that), denote something not mentioned by name (therefore having no gender), or they denote some opinion or statement previously made.

e.g. ¿Qué es esto?: *What is this?*
Eso es: *That's it. That's right (what you said is right).*
Eso es ridículo: *That (idea, plan, etc., of yours) is ridiculous.*

VOCABULARIO

el saquito de mano, hand-bag
rincón, corner
puente, bridge
mar, sea
guardia, policeman
mostrador, counter
frente, front

ansioso, -a, anxious
locuaz, talkative
mismo, -a, same

algo, something, somewhat
hay que, it is necessary to
ahora, now
a pesar de, in spite of
frente a, facing, opposite to

la época, period, time
hora, hour (time)
idea, idea

la fila, row, line
mano, hand
red, (luggage) rack
consigna, 'left-luggage'
postal ilustrada, picture postcard
tiza, chalk
vista, view
vía, (railway-)track

llamar, to call
seguir(i), follow
gritar, call out, shout
coger, take(-hold). (Pres. cojo, coges, coge, etc.)
marcar, mark
usar, use, wear
revolver(ue), turn over
dirigir, direct (a question)
detenerse, pause, halt
necesitar, to need
importar, to matter
irse, to go away

Ejercicio 2. Complete the following as indicated:

1. Necesito un saquito de mano y voy a comprar (this one).
2. ¿Pasteles? — Pruebe Vd. (these). No me gustan (those: over there). 3. ¿Cuál de los asientos es mío? ¡Ah! (This one) es mío; (that one: over there) en el rincón es suyo (es el de Vd.). 4. ¿Cuál es su habitación? — (That one) es mía, número veintitrés. Da a la calle. 5. (This one) es una habitación muy cómoda, y desde aquí hay vista al mar. 6. ¿Qué edificios son (those: over there)? 7. Qué edificio es (that one) que Vd. mira en la guía? 8. ¿Qué edificio es (that), frente al hotel? 9. ¿Es (this) el tren de Madrid? — No, es (that one: over there), en la vía número dos. 10. ¿Es (this) primera clase? 11. ¿Es (this) su maleta (de Vd.)? 12. ¿Son (these) sus maletas? — Sí, son mías. (That one) en la red es suya (es la de Vd.). 13. En la consigna digo al empleado: '(That) maleta en el rincón es mía.' (This one) es de mi compañero. 14. ¿Tiene Vd. periódicos ingleses? (These) son antiguos. 15. ¿Tiene Vd. postales ilustradas? — Sí, señor, tengo (these).

Ejercicio 3. The use of the neuters 'esto,' 'eso.' Complete the following as indicated:

1. ¿Qué es (this)? 2. ¿Cuánto cuesta (this)? 3. (That) es verdad—¿Qué significa (*means*) (that)? 4. ¿Para qué es (that)? 5. ¿Qué es (that) en inglés? 6. ¿Cómo se dice (that) en español? 7. (That) no me importa. 8. Todo (that) no me interesa. 9. No me gusta (this). Es demasiado ¦(*too*) aburrido. 10. Dígame (this). 11. Después de (that) vamos a cenar. 12. Es caro el saquito de mano, pero a pesar de (that) voy a comprarlo. 13. (That affair, or that matter) (one word) del dinero que tengo que pagar. 14. Me gusta (this). ¿Qué es? 15. Los trenes están llenos los sábados, y por (that, that reason, therefore) hago el viaje el lunes. 16. No es (that). 17. (That) no tiene remedio (that can't be helped).

Toledo: una callejuela típica

Lectura

La Aduana (the Customs)

Uno a uno examina el guardia los pasaportes, y luego se va. El tren ya está pasando por el puente internacional construido sobre el río Bidasoa, y dentro de unos pocos minutos nos detenemos en la estación española de Irún. Ahora hay mucha animación en los departamentos: hay que bajar las maletas de la red, bajar del tren y pasar a la aduana. Por la ventanilla llamamos a un mozo gritándole: '¡Mozo! Coja mi equipaje, por favor.' El mozo lo coge y se va muy de prisa por el andén; le seguimos algo confusos hacia la aduana. Allí se ve una fila de turistas delante del mostrador esperando la visita de la aduana. Por fin se acerca un empleado que me pregunta: ¿Todo esto es suyo? ¿Tiene Vd. algo que declarar?'

Yo contesto que no tengo nada que declarar. 'Abra (Vd.) ésta,' me dice señalando una de mis maletas, y va revolviendo un poco la ropa. 'Todo está usado,' le digo. 'Está bien,' contesta el empleado cerrando la maleta. Marca mi equipaje con la tiza (*chalk*) y pasa a otro turista dirigiéndole la misma pregunta.

Es interesante mirar la cara de los que esperan la visita de la aduana, unos ansiosos, otros indiferentes, otros locuaces. Entretanto (*meanwhile*) está cerrada con llave (*key*) mi maleta y acompañado de mis compañeros me voy hacia el tren español.

33. 'That of,' 'the one of,' 'those of,' etc., is translated by 'el (la, los, las) de'; 'the one who (which),' 'those who (which)' by 'el (la, los, las) que.'

e.g. (i) Me gusta el de Vd.: *I like yours.*

(ii) Aquí está mi billete. ¿Dónde está el de su señora?: *Here is my ticket. Where is your wife's?*

(iii) ¿Qué asientos? Los de la primera fila: *Which seats? Those in the first row.*

(iv) ¿Libros? Tome Vd. los que están en la mesa:
Some books? Take the ones which are on the table.

(v) No comprendo lo que dice: *I don't understand what you are saying.*

('lo que' (like 'esto,' 'eso') refers to something not mentioned by name, or to some statement, idea, etc.)

Ejercicio 4. Complete the following in Spanish, as indicated:

1. Me gustan las playas españolas y (those of) el Mediterráneo. ¿Le gustan a Vd. (those of) Francia? Sí, mucho, Cada año paso algunas semanas en (those of) el norte del país. 2. Me gusta este jardín y (the one) de la casa de enfrente. (Yours, or that of you) es también muy hermoso. 3. Tengo un coche; (that of my brother, or my brother's) es muy rápido. 4. Conozco a aquella señora y (the one) de la primera fila. 5. Hablando de vestidos, me gusta (your sister's, that of your sister). (My mother's, that of my mother) es blanco. 6. Vds. hablan de casas, ¿no es verdad? Pues (well), no me gusta (the one of, that of) la señora de López. 7. Dígame (what) [that which] Vd. sabe de las playas españolas. 8. Me gusta (what) estamos comiendo. ¿Cómo se llama? 9. ¿Entiende Vd. (what) lee en esos periódicos españoles? 10. Dígame Vd. todo (that which) sabe de la vida española. 11. ¿Entiende Vd. (all that) le dicen los españoles.

Ejercicio 5. Translate into Spanish:

1. I like a modern car very much. Yours is modern, isn't it? 2. My brother's is very fast. 3. Seats? Those in (of) the front row are very good. 4. Here is my passport, and my wife's. 5. Take(-away: *llevar*) these suit-cases and those of the other tourists as well. 6. My room and my friend's look out on to the square. Yours looks out on to the street, doesn't it? 7. Shops? I like those in the Gran Vía in Madrid. 8. Show me what you have bought. 9. I don't like what we are eating. What is it? 10. It is what we have (eat) every day. 11. I don't understand what they say to me. 11. It is somewhat (rather) dear. 12. Sometimes

it is necessary (one has) to open suit-cases in the Customs.
13. In spite of the journey I am not tired. 14. Take my
luggage to the left-luggage office, will you? 15. Do you
mind (is it important to you)? I wish to open the window.
— No, I don't mind. 16. I need a few picture postcards.
I have to send them to friends in England. 17. I'm going
off. The same day. Somewhat (rather) tired. It doesn't
matter. 18. What does it matter? There's (a) view of (a)
the sea. 19. The policeman in the Customs. Some newspapers on the counter. 20. These clothes are used (worn).
I pause a moment. 21. On getting out of the train I follow
the porter to the Customs, and on arriving there I see a
long line of people waiting-for the Customs examination (la
visita). 22. The official in the Spanish Customs is a policeman. He turns over the clothes in my suit-case and in those
of the other tourists. 23. In(-side of) a few minutes. I take
hold of my luggage and go off. 24. It doesn't matter to me.
Wait a moment. I need a passport. My suit-cases are in
the left-luggage office. 25. Tell me what he is saying.
I don't know what he says. Tell me all (that) you know.

LECCIÓN CATORCE

34. Present Indicative of 'haber,' to have.

	he, *I have*		hemos, *we have*
	has, *you have* (familiar)		habéis, *you have*
(Vd.)	ha, *he, she, it has, you have*	(Vds.)	han, *they have, you have*

Past Participle. The present tense of 'haber' is used before
the past participle of a verb to form the Perfect Indicative
('I have spoken').   The past participles of Spanish verbs are:

habl-ar	*habl-ado*	spoken
com-er	*com-ido*	eaten
viv-ir	*viv-ido*	lived

Exceptions:

ver	visto	cubrir	cubierto
poner	puesto	decir	dicho
escribir	escrito	hacer	hecho
abrir	abierto	volver	vuelto

Perfect Indicative.   I have spoken, etc.

	he hablado (comido, vivido)		hemos hablado (comido, vivido)
	has hablado		habéis hablado
(Vd.)	ha hablado	(Vds.)	han hablado

Note.   ¿*Ha hablado* Vd.? :   *Have* you *spoken?*
        ¿No ha hablado? :   Haven't you spoken?

Practice.

1. I have asked, (ex-)changed, taken, taken out, replied,
travelled, looked-for, looked-at, given, smoked, waited,
been (*estar*), arrived, listened-to, stopped, eaten, had,
learnt, come, heard, lived, slept, followed.

2. For 'I' in Question 1 above substitute (i) 'he' (he has
asked), (ii) 'you' (Vd.), (iii) 'they,' (iv) 'you' (Vds.).

74

3. I have, seen, put, written, made (done), said, opened, covered, returned.

4. For 'I' in Question 3 above substitute 'he,' 'you' (Vd.), 'they,' 'you' (Vds.).

5. In Questions 1 and 3 above form the Interrogative: (i) positive (Have you spoken?); (ii) negative (Haven't you spoken?).

35. Negation.

The negatives used in Spanish are:

nadie, *no one, not . . . anyone*

nada, *nothing, not . . . anything*

nunca, *never*

ninguno (ningún), ninguna, *none, not . . . any*, no+noun, more emphatic than 'no' used alone.

If these negatives follow the verb in Spanish, 'no' is required *before* the verb.   e.g.

   (i) No tengo nada: *I have nothing.*

       Nada ha pasado durante el viaje: *Nothing has happened during the journey.*

  (ii) No hay nadie en el departamento: *There is no one in the compartment.*

       No conozco a nadie en esta ciudad: *I don't know anyone in this city.*

       A nadie se le obliga a sentarse en un tranvía español: *No one is obliged to sit down inside a tram in Spain.*

 (iii) *No* le he visto *nunca*: *I have never seen him.*

       Nunca he visto hoteles más grandes: *Never have I seen larger hotels.*

 (iv) En ningún país de Europa hay más variedad que en España: *In no country of Europe is there greater variety than there is in Spain.*

  (v) *No* . . . {*más que*, only / *sino*, only

e.g. No hay más que películas norteamericanas en los cines: *There are only American films in the cinemas.*

Lectura
Hablando de España

'¿Qué es eso que tiene Vd. en la mano?' pregunta uno del grupo de turistas, dirigiéndose a un señor que está sentado en el rincón del departamento. Este, individuo de unos treinta años, le contesta: 'Es un folleto en que hay detalles de los espectáculos y de las cosas de interés que vamos a ver en España.' '¿De veras? Eso debe de ser muy útil,' le responde aquél, retirando de la boca el pitillo que está fumando. 'Sí, por cierto, es muy útil. Estos folletos que nos da la Agencia de Turismo y los que tiene el guía, son muy útiles para nosotros, los extranjeros,' dice su compañero de viaje. A (*from*) lo que parece, hay excursiones desde San Sebastián y además una visita dirigida al Museo del Prado en Madrid. '¡Bueno!' exclama el otro. 'La pintura española me interesa muchísimo, y espero la visita con impaciencia. Allí podremos (fut. 'poder') ver muchos cuadros de pintores famosos, españoles y extranjeros, tales (*such*) como "Las Meninas" de Velázquez, "Los Caprichos" de Goya, el célebre "Cristo" de Velázquez, "La Purísima" de Murillo, y muchos cuadros del pintor holandés, Van Dyck entre otras obras de famosos artistas extranjeros.'

Una señora que visita (a) España por primera vez interviene en la conversación. 'Y las comidas en España, ¿qué sabe Vd. de eso?' 'Pues, los españoles comen generalmente tres veces al día. Hacia las ocho de la mañana toman el desayuno que consiste en panecillos, mantequilla y café con leche, y al mediodía hay la comida que se compone de sopa o ensalada, carne con patatas y otras legumbres, y luego postres. A eso de las cinco se toma la merienda, que es muy ligera, y, entre las nueve y las once, la cena, comida abundante semejante a la del mediodía que consta de (*consists of*) varios platos: sopa, pescado, carne con legumbres, queso y fruta.

'Durante nuestro viaje por España tendremos (fut.

'tener') ocasión de gustar sus exquisitas frutas, manzanas, pasas (*raisins*) de Málaga, la jugosa naranja valenciana, los ricos vinos de Rioja y Valdepeñas, y entonces preciaremos (fut. 'preciar': *appreciate*) en su justa medida (*measure*) los usos y costumbres de la mesa española.'

VOCABULARIO

el folleto, brochure
cuadro, picture
pintor, painter
pescado, fish
queso, cheese
sitio, place, spot

la boca, mouth
manzana, apple
pintura, painting
leche, milk
legumbre, vegetable
cena, dinner (evening)
naranja, orange
salida, departure

recorrer, to tour (un país)
gustar, to taste, try
gustar a (+someone), to be pleasing to
poder(ue), to be able
retirar, to withdraw

hay, there is (are)
ha habido, there has (have) been
dirigir, to direct
dirigirse a, to address

bastante, enough, fairly
semejante, similar
jugoso, -a, juicy
entonces, then
todavía, yet, still
holandés(-esa), Dutch

Ejercicio 1.

(i) Using 'Veo' (I see) translate 'I do not see. I see nothing. I never see. I see no one. I see only three people (persons [una persona]).'

(ii) Do similarly for (*a*) 'He visto' and (*b*) 'Quiero ver.'

Ejercicio 2. Complete the following according to the meaning suggested:

1. (Not) He visto la película. 2. (Not) ¿Ha visto Vd. el Museo del Prado? 3. (Do not) Traiga un café. 4. (Never) He escrito una carta en español. 5. (Never) ¿Ha hecho Vd. este ejercicio? 6. (Never) Hemos gustado un vino español. 7. (No one) Ha venido (two ways). 8. (No one) Viene a verme. 9. (No one) Me ha dicho nada. 10. Los turistas ven (no one) en el departamento. 11. (No one) Quiere levantarse temprano. 12. (Nothing) Tengo en mi saquito de mano. 13. (Nothing) Quiero tomar antes de acostarme.

14. (Nothing) ha pasado (*happened*) durante el viaje. 15. En (no) parte de Europa hay más variedad de clima. 16. (No) Turista ha llegado de Inglaterra. 17. (None) De estos cuadros me gusta. 18. (Nothing) Me impresiona (*to impress*) tanto como la simpatía de los españoles. 19. Quiero visitar (no) otro país antes de visitar (a) España 20. (Never) He comido platos españoles.

Conversación. Answer in Spanish in complete statements, using the words suggested:

1. ¿Ha hablado Vd. con un español? (*i.* muchas veces; *ii.* rara vez; *iii.* no; *iv.* nunca). 2. ¿Ha visitado (a) España? (*i.* una vez; *ii.* no; *iii.* nunca). 3. ¿Ha estado Vd. antes en San Sebastián? 4. ¿Se ha encontrado Vd. con españoles. 5. ¿Ha viajado Vd. por Francia? (*i.* Sí, una vez; *ii.* en auto; *iii.* nunca). 6. ¿Ha preguntado Vd. la hora del tren? (no, estar ocupado, -a). 7. ¿Ha leído Vd. 'Don Quijote'? (*i.* nunca, en español; *ii.* en inglés). 8. ¿Ha visto Vd. una película española? (*i.* no; *ii.* nunca). 9. ¿Ha oído Vd. las noticias esta tarde? (*i.* no; *ii.* Sí, por la radio, 9.0 p.m.). 10. ¿Ha dejado una propina para el camerero? (en la mesa). 11. ¿Dónde ha puesto Vd. la propina? (la mesa). 12. ¿Cuánto dinero ha dejado Vd.? (6 pesetas). 13. ¿Ha dejado Vd. bastante dinero? (Sí). 14. ¿Cuánto dinero le ha dado? (7 pesetas). 15. ¿Han llegado las maletas? (no . . . todavía). 16. ¿Ha fumado Vd. pitillos españoles? (*i.* una vez; *ii.* varias beces; *iii.* en España). 17. ¿Ha gustado Vd. platos españoles? (*i.* 'cocido'; *ii.* nunca). 18. Y vinos españoles, ¿los ha gustado Vd.? (Sí). 19. ¿Ha vivido Vd. en la Argentina? 20. Y su amigo, ¿ha vivido él en la Argentina? (Sí, varios años). 21. ¿Han preguntado por (*about, regarding*) excursiones desde San Sebastián? (preguntar al guía). 22. ¿Ha escrito Vd. (tarjetas) postales hoy? (*i.* algunas; *ii.* no . . . nadie). 23. ¿Ha visto Vd. las pinturas de Velázquez? (*i.* Londres; *ii.* Madrid). 24. ¿A quién ha escrito Vd.? (*i.* padres; *ii.* amigos; *iii.* nadie). 25. ¿Qué ha hecho Vd. hoy? (*i.* nada; *ii.* muy poco; *iii.* mucho trabajo;

iv. dar un paseo; *v.* estar occupado, -a). 26. ¿Ha vuelto su amigo de España? (no . . . todavía). 27. ¿Han puesto el equipaje en el tren? (en la red). 28. ¿Quién ha puesto las maletas en la red? (mozo). 29. ¿Ha podido Vd. reservar sitios en el tren? (Sí, dos sitios). 30. ¿Ha habido un accidente? (Sí, esquina de la calle : esquina, *corner.*)

36. The Past Participle of Spanish Verbs (-ado, -ido) may be used as adjectives, and will then agree with the noun or pronoun to which they refer.

e.g. El año pasado : *Last year.* Estoy cansado, -a : *I am tired.*
Estamos cansados, -as : *We are tired.*

Ejercicio 3. Translate into Spanish:

1. Last week, month. 2. The last holidays. 3. I am sitting (seated) in your place. I beg your pardon! (*dispense Vd.*). 4. We are sitting (seated) in these places, because they are not occupied (infin., *ocupar*). 5. She is sitting on the beach, because she is tired. 6. The theatres are well attended (infin., *concurrir*). 7. An amusing film. 8. A boring book (infin., *aburrirse*). 9. The ticket is paid for. 10. The bank is not open. 11. The shops are closed. 12. The work is done. 13. My postcards are written. 14. The holidays are over, ended (infin., *terminar*).

Ejercicio 4. Translate into Spanish:

1. Has the waiter brought the dessert? 2. For (*Para*) dessert there is only fruit or ice-cream. 3. I have (There remain to me: *quedar*) five minutes to eat the dessert, for I have inquired the time the train leaves (time of the departure of the train), and it leaves at 2.55. 4. I have called a taxi and the porter has brought down (*bajar*) the luggage. 5. I haven't paid the bill yet, as I have only three hundred pesetas with me. 6. I have nothing in my purse. 7. I see no one in the dining-room yet, as it is only seven o'clock. 8. I have never been in this hotel before. 9. No one has arrived yet to have dinner. 10. Nothing unpleasant (*desagradable*) has happened (*suceder*) to me since my arrival (*llegada*) in Spain. 11. No one eats much in Spain at (for the) breakfast.

12. No potatoes! But I have ordered (*pedir*) potatoes. 13. You say (that) you have no money! — I have no money at all — No money! that's not possible. And I have only four hundred pesetas. 14. No one likes this (This is pleasing to no one). 15. No one wants to go to the cinema, and I have nothing to (*que*) do. 16. I have left nothing in the room, and I have packed (*hacer*) my case.

Ejercicio 5. Formulate questions in Spanish (Perfect Tense), using the following phrases. Members of the class will answer them.

1. Pedir informes acerca de las vacaciones. 2. Hablar con un español. 3. Viajar por España. 4. Buscar su pasaporte. 5. Perder dinero. 6. Dar una propina al camarero. 7. Esperar largo tiempo. 8. Parar en un hotel español. 9. Comer platos españoles. 10. No leer 'Don Quijote.' 11. No reservar asientos. 12. No viajar en tercera (clase). 13. No ver pinturas españolas. 14. No poner las maletas en la red. 15. No beber vinos españoles. 16. No llamar un taxi. 17. Recorrer España. 18. Haber un accidente. 19. Escribir a la Agencia de Turismo. 20. (Su amigo) volver de España.

LECCIÓN QUINCE

'SER' AND 'ESTAR.' THE PRESENT PARTICIPLE

37. 'Ser' and 'estar' both mean 'to be,' and their uses are shown below.

Estar denotes:

(1) *Place.*

e.g. Estamos en el anfiteatro: *We are in the circle (of the theatre).*

(2) *Temporary states* with the past participle of a verb, or with an adjective.

e.g. Algunas butacas están vacías: *Some stalls (theatre) are empty.*

Está sentada en el anfiteatro: *She is sitting (seated) in the circle.*

(3) *Action actually in progress* (at the time referred to). It is then used with the present participle of a verb (-ando, -iendo). (See Par. 38 below).

e.g. ¿Qué está haciendo?: *What is he doing?*

Ser: (1) 'Ser' denotes inherent characteristics, i.e. what a person or thing is. In contrast with 'estar,' 'ser' denotes permanence.

e.g.   (i) El cine es un lugar de esparcimiento: *The cinema is a place of amusement.*

  (ii) Su madre es española: *His mother is Spanish.*

  (iii) Una novela policiaca es emocionante: *A detective story is exciting.*

(2) It denotes trades, professions, nationality, and the material of which something is made.

e.g.   (i) Aquel hombre es el jefe de la estación: *That man is the station master.*

  (ii) Su padre es médico, español, etc.: *His father is a doctor, Spanish, etc.*

  (iii) Los abanicos son de papel: *Fans are (made) of paper.*

81

38. THE PRESENT PARTICIPLE (in English, 'speaking,' 'eating,' etc.) is formed in Spanish by adding -ando to the stem of -ar verbs (habl-ar, habl-ando), and -iendo to the stem of -er, -ir verbs (com-er, com-iendo; escrib-ir, escribiendo).

Certain verbs change the stem vowel before adding -ando, -iendo, e.g. dec-ir: dic-iendo, dormir: durmiendo, ven-ir: vin-iendo. (See list of verbs at end of book.)

VOCABULARIO

el anfiteatro, circle (theatre)
deporte, sport
pueblo, people (nation), small town
compatriota, fellow-countryman
rato, while
escenario, stage
palco, (theatre-)box
traje de noche, (lady's) evening-dress
aficionado-a, (a) enthusiast (of)
cabo, end (time)
madrileño, of Madrid

la acomodadora, attendant (theatre)
escasez, scarcity
falta, fault, lack
estancia, stay
taquilla, box-office
zarzuela, musical-play (-comedy)
butaca, (theatre-)stall
localidad, (theatre-) seat, (theatre-)ticket

la charla ⎫
plática ⎬ chat, talk, conversation
costumbre, custom
especie, sort, kind

verdadero, -a, real, genuine
verdaderamente, really
nuevo, -a, new
tan, (adv.) so
sobre, above, on top of
debido a, due, owing to
quizás, perhaps
asiduo, -a, assiduous
alrededor de, around
chistoso, -a, funny, humorous

sorprender, to surprise
decidir, decide

mientras, while, whilst
pronto, at once

LECTURA

No les voy a hablar (no voy a hablarles) ahora de cosas y costumbres conocidas (*well known*) de España, pero sí (lit. *yes, I do*, etc.) quiero mencionar la gran inclinación que sienten los madrileños por los deportes, y su entusiasmo por el cine y el teatro.

En la capital hay edificios teatrales verdaderamente magníficos como el 'Eslava,' 'Infanta Isabel,' el 'Teatro

Real,' etc. Esto me trae a la memoria el hecho de que en el Nuevo Mundo, es decir la América del Sur, no son tan abundantes los teatros como en España. No son tan numerosos los espectáculos de esta clase sobre todo en el interior del país, debido, quizás, a la falta de formación del pueblo, a la escasez de artistas, y a la falta de conocimiento del secreto escénico. Aquí, al contrario, en la Ciudad, centro geográfico de España, el madrileño en general es aficionado a los espectáculos, quizás más que sus compatriotas. Concurre asiduamente a las zarzuelas, especie de comedias musicales, sea (*either*) a la función que termina a las nueve y media, sea (*or*) a la función de las diez y media que termina a la una de la madrugada (*early hours of the morning*). Las horas de las funciones sorprenden mucho a los extranjeros, los cuales (*who*) suelen acostarse antes de la medianoche.

Durante mi estancia en la bella capital de España he decidido acompañar a un amigo al teatro. Al llegar, vamos a la taquilla a sacar (o tomar) localidades, luego pasamos a la sala donde la acomodadora nos conduce a dos butacas de patio. Antes de sentarnos compramos un programa, y pasamos un rato leyéndolo y escuchando la plática y charla del auditorio. Como les he dicho a Vds. estamos en el patio de butacas. Delante de nosotros está la orquesta, los músicos, y delante de ellos el escenario. Alrededor de la sala se levanta el anfiteatro, y cerca del escenario los palcos donde está sentada la gente rica. La parte más alta y más barata del anfiteatro se llama chistosamente el 'paraíso.'

Mientras esperamos que empiece la función admiramos la belleza de las damas (señoras) realzada (lit. *heightened*) por sus hermosos trajes de noche y el ambiente (*atmosphere*) selecto del salón. Al cabo de algunos minutos llega el director de la orquesta y pronto empieza la función.

Ejercicio 1. Translate into Spanish:

1. I am (a) doctor, tourist, English (masc., fem.). 2. She is the attendant. 3. They are in the circle. 4. It is a

programme of the musical comedy.   5. I am rather (a little, somewhat) tired.   Are you tired?   6. The theatre is well attended.   7. That is a cinema.   8. The musical comedy is amusing.   9. The programme is long.   10. The hall is beautiful.   11. The journey through Spain is pleasant.   12. Madrid is a very interesting city.   13. San Sebastián is in the north of Spain.   14. The Spaniards are enthusiasts of (a) the theatre.   15. Her fan is (made) of paper.   16. This dress is dear, but those hats in the window are fairly cheap.   17. The performance is, has been, good.   18. The train is at the platform.   19. He is my husband.   20. She is my wife.   21. Where is the ticket-office?   22. Here is the tourist agency.   23. The beach is most beautiful (-ísimo-a).   24. The compartment has been empty.   25. She is sitting (seated) on the beach.   26. The square is crowded.   27. Here is a programme.   28. They are comments (*comentario*) about the performance.   29. It is late.   30. The evening-dress is (of) silk.   31. The hall is full, but the people are still coming in.   32. It is 10 o'clock and he is still writing.   33. She is 'doing herself up' (*arreglarse*).   34. I am packing my case.

Conversación. Contesten Vds. en español en frases completas.

1. ¿Dónde está el teatro? (centro de la ciudad).   2. ¿Ha estado Vd. en España?   3. ¿Quién es aquella mujer? (acomodadora).   4. ¿Qué es eso? (programa).   5. ¿Está Vd. cansada, señora? (algo).   6. ¿Está concurrido el teatro? (Sí, *popular*).   7. ¿De qué son las medias (*stockings*)? (seda).   8. ¿Es un periódico inglés? (español).   9. ¿Ha sido difícil el viaje? (agradable).   10. ¿Quién es aquél? (revisor, examinar, billetes).   11. ¿Está vacío el departamento? (lleno).   12. ¿De qué son los abanicos? (papel).   13. ¿Es hermoso Madrid? (ciudad encantadora).   14. ¿Dónde está Madrid? (Castilla).   15. ¿Dónde están las localidades reservadas? (patio de butacas).   16. ¿Es una novela española? (inglesa).   17. ¿Es Vd. aficionado(-a) a

la Ópera? (hasta cierto punto (*extent*)). 18. ¿Están vacías las butacas? (algunas). 19. ¿Es difícil el español? (bastante). 20. ¿Qué está haciendo la clase? (escucharle a Vd. (present participle)). 21. ¿Está escribiendo la clase? (No, escuchar). 22. ¿Es Vd. aficionado(-a) al cine, a los deportes, al teatro? 23. ¿Son aficionados sus amigos a la radio? 24. ¿Le gustan a Vd. las zarzuelas? 25. ¿Cuándo lleva Vd. traje de noche? (ir al baile, a la Ópera). 26. ¿Cuándo termina esta lección? (cabo de, minutos). 27. ¿Hay casas alrededor de esta escuela (*school*). 28. ¿Hay un pueblo cerca de esta población? 29. ¿Por qué no va Vd. muchas veces a España? (falta de dinero). 30. ¿Quiénes son sus compatriotas?

Ejercicio 2. Translate into Spanish:

1. I like the Opera to some (a certain) extent. 2. I drive our car. 3. After (At the end of) a few hours, days, weeks. 4. I am surprised. 5. Excuse me. 6. I am writing a letter. 7. Don't bother! (Leave it). 8. Leave me alone (i.e. in peace). 9. After a while. No doubt he is ill. 10. I have bought several things this morning. 11. According to the newspapers. 12. Do you like to drive a car? 13. I think (It seems to me) that driving (to drive) a car is fairly easy. 14. Let's see. Let's see what shows there are for this evening. 15. On coming back (returning) home. 16. Around the town; the small towns of Spain; a well-attended theatre. 17. Really magnificent; a humorous comment; keen on sport. 18. A scarcity of books owing to the war (*la guerra*). 19. On top of the hill; around Barcelona; I am listening to the chat. 20. My stay in Madrid; the lesson ends in (at the end of) a few minutes; there has been a performance.

> Un loquito del hospicio
> Me dijo en cierta ocasión:
> 'Ni son todos los que están,
> Ni están todos los que son.'

loquito, dim. of 'loco': *mad, crazy, wild.*
hospicio: *orphanage, poor-house.*

Ejercicio 3. Formulate questions in Spanish. Supply suitable answers.

1. ser aficionado(-a) a los deportes. 2. ser española. 3. estar cansado(-a). 4. estar escuchando al profesor. 5. (su madre) estar en casa. 6. (Qué)ser una zarzuela. 7. (la sala) estar llena. 8. el español ser díficil. 9. (Dónde) estar Irún, Madrid, Barcelona, Sevilla, Málaga, Valencia. 10. (la tercera clase) ser cómoda. 11. (los asientos) ser de madera (*wood*). 12. ser el director de la orquesta. 13. ser las acomodadoras. 14. (los barceloneses) ser industriosos.

LECCIÓN DIEZ Y SEIS

Comparison of Adjectives and Adverbs. Formation of Adverbs

39. Adjectives have three forms.

	Positive	Comparative	Superlative
	high	higher	highest
m.	alto(-s)	más alto(-s)	el (los) más alto(-s)
f.	alta(-s)	más alta(-s)	la (las) más alta(-s)
m. & *f.*	grande(-s)	más grande(-s)	el (la) más grande
			los (las) más grandes

Ejercicio 1. Say

(i) The comparative and superlative *masc.* of: largo, barato, bonito, hermoso, cómodo, divertido, viejo, moderno, nuevo, frío.

(ii) *Fem.*: rápida, encarta lora, bonita, ancha, lujosa, maravillosa, severa, barata.

(iii) *Plural*: ricos, divertidas, viejos, pintorescos, variadas, largos, anchos, cómodas, peligrosos, frescas.

Ejercicio 2.

Do similarly in the singular and in the plural: agradable, interesante, importante, útil, inútil, fácil, difícil, alegre, joven, cortés.

Note 1. The English idiom 'a most beautiful day' (i.e. a very beautiful day) is translated 'un día muy hermoso,' or 'un día hermosísimo,' or 'un día de los más hermosos.'

Ejercicio 3. Translate:

1. A most amusing film. 2. A most beautiful dress.
3. A most important town. 4. A most modern house.
5. An extremely cheap hotel.

Note 2. Compare: This street is the longest: *Esta calle es la más larga* and, It is the longest street: *Es la calle más larga.*

Notice that 'el' ('la,' etc.) of the superlative is omitted when the adjective is used with the noun and follows it.

Ejercicio 4. Complete the following:

1. La calle (widest). 2. El sombrero (prettiest). 3. Estos son los cuadros (most beautiful). 4. Es el día (hottest) del año. 5. Este es el hotel (dearest). 6. Son los países (richest) de Europa. 7. Es el tren (fastest) del día. 8. Es la manera (easiest). 9. Paramos en (a most comfortable hotel). 10. Es un hotel (most luxurious). 11. Es el edificio (highest) de Barcelona. 12. Es la ciudad (oldest) de España. 13. Esta es la maleta (lightest). 14. La mía es la maleta (heaviest). 15. Una película (most exciting). 16. Es una excursión (most interesting). 17. El 'Hotel España' es (the most modern) de esta población. 18. Es la zarzuela (most popular) de todas.

40. Irregular Comparison of Adjectives. The following adjectives have the forms:

bueno(-a),	mejor (m., f.)	el (la) mejor	*good, better, best*
malo(-a)	peor (m., f.)	el (la) peor	*bad, worse, worst*
mucho(-a)	más		*much, more*
poco(-a)	menos		*little, less*

Note 3. 'The' before an adjective and the word 'thing' ('The essential thing,' 'The best thing,' etc.) is translated in Spanish by 'lo,' and the word 'thing' is omitted. 'Than' in comparisons is 'que.'

Lo esencial es llegar a tiempo: *The main thing is to arrive in time.*
Lo mejor es tomar un enlace para Madrid: *The best thing is to get a connection to Madrid.* 'Higher than': más alto que.

Ejercicio 5. Complete the following:

1. Un (good) hotel. 2. Una (good) cena. 3. Los (best) hoteles. 4. Son las (best) Pensiones. 5. Es una (better) película que ésta. 6. 'Eslava' es un (better) teatro. 7. He tenido (less) tiempo que la semana pasada. 8. (The best thing [plan, idea, etc.]) es quedarnos aquí. 9. Es la (worst) calle de la ciudad. 10. (The most important thing) es tener

cheques de viaje. 11. No nos queda (much) tiempo. 12. Nos queda (more) tiempo que ayer. 13. Este hotel es (the best). 14. Las películas norteamericanas no son (the best). 15. (Much, more, little, less) tiempo. 16. (The worst) es que he perdido un cheque de viaje. 17. Es casi (the same [thing]). 18. En pleno verano (the best thing) es echar la siesta en la cama. 19. (The wisest [*prudente*] thing) es esperar en el andén. 20. No me gusta (cheapness, cheap things).

Adverbs.

   41. *Formation of Adverbs.*

   (1) Adverbs are formed in Spanish by adding -mente to the feminine form of the adjective:

rápido, –a	rápidamente	*rapidly*
fácil	fácilmente	*easily*
cortés	cortésmente	*politely*

   (2) con (*with*)+noun, may be used:

e.g. con frecuencia, *frequently*   con atención, *attentively*
   con claridad, *clearly*

   (3) A phrase consisting of 'de una manera+adjective' may be used.

e.g. De una manera muy divertida: *In a very amusing way, very amusingly.*

   (4) Adjectives are sometimes used as adverbs.

e.g. barato, *cheap, cheaply*   impaciente, *impatiently*
   Lo he comprado barato: *I have bought it cheap(-ly).*
   Me aguarda paciente: *He waits patiently for me.*
   Me escuchan callados: *They listen to me in silence.*

   42. *Comparison of Adverbs.*

Positive	Comparative	Superlative	
pronto	más pronto	*lo* más pronto	*soon, sooner, soonest*
de prisa	más de prisa	*lo* más de prisa	*quickly, more quickly,* etc.

   Exceptions:

bien	mejor	*lo* mejor	*well, better, (the) best*
mal	peor	*lo* peor	*badly, worse, (the) worst*

Segovia: the Alcázar

Ejercicio 6.

(i) Form adverbs in -mente from the following adjectives: cierto, último (*last, recent*), rápido, tonto (*foolish*), severo (*harsh*), actual (*present-day*), triste (*sad*), seguro (*sure, safe*), singular (*odd, strange*), preciso (*exact*).

(ii) Form adverbial phrases beginning 'de una manera ———' using prudente, alegre (*cheerful*), rápido, triste, divertido, inteligente, muy cortés.

(iii) Complete the following. (For vocabulary see 'Lectura' below).

1. Haga el favor de hablar (distinctly), es decir despacio y con claridad. 2. (Naturally) no voy a perder mi pasaporte. 3. (Recently) he visto unas películas tontas. 4. Vd. debe escuchar (attentively) lo que le dicen; de (*in*) ese modo (*or,* esa manera) comprenderá (Future Tense) (easily). 5. (Generally) los españoles se dirigen (in a very polite way) a los extranjeros. 6. Vd. debe también hablarles (politely). 7. Hágalo (at once). 8. Hágalo (as soon as, the soonest possible), por favor. 9. Cuando estaba yo en Madrid iba (I used to go) (frequently) a ver zarzuelas. 10. (At the present time) el fútbol es el deporte más popular en España, casi tanto como los toros. 11. Habla (*well*) español.

VOCABULARIO

el pasillo, corridor
medio, middle
sabio, wise (man)
revisor, ticket-inspector

la cesta,
canasta } basket
claridad, clearness

natural, natural
claro, clear(-ly), obvious(-ly)
último, -a, last, recent
mismo, -a, same, very
cercano, -a, near(-by) (adj.)
despacio, slowly
de prisa, quickly
fácil, easy

atrás (adv.), behind

junto a, next to
distinto, -a, distinct
tonto, -a, foolish, silly
general, general
tanto como, as much as
de pronto, suddenly
cortés, polite
frecuente, frequent

tropezar(ie) (con), to come upon, across
haber de, is to be (will be), must be
mandar, to order
obedecer, to obey
sonreir (i), to smile
añadir, to add
enterarse (de), to find out (inform oneself about)
negarse(ie) a, refuse to

Lectura
'En el Tren' (Anécdota, o Cuento)

Llega el revisor a uno de los coches del tren que va hacia Valencia y todo el mundo presenta el billete. De pronto tropieza con una cesta que está casi en medio del pasillo (es un coche de tercera clase). La mira con sorpresa. '¿Quién es el sabio que ha colocado esta cesta aquí?' exclama de muy mal humor. Abre la puerta del departamento más cercano. Los viajeros le ofrecen sus billetes, pero no, el revisor busca al infractor del reglamento (lit. *violator of regulations*).

— Aquella cesta, señores, ¿de quién es?   (Silencio.)

— ¿Es suya?

— Mía,no. Sin duda es de aquel dormilón (*sleepy fellow*), responde uno señalando a un hombre que ocupa uno de los asientos junto a la ventanilla. El revisor interrumpe sus sueños (*sleep, dreams*):

— Hágame el favor de retirar esa cesta del pasillo.

— ¿Yo? Yo no la retiro. ¡Retírela Vd.!

— ¿Se niega?

— Claro. Me niego a retirarla.

— Eso lo vamos a ver, le dice el revisor.

Llegan al fin a la estación próxima, se detiene el tren y el revisor llama a la Guardia Civil; suben al coche.

— ¿Qué pasa?

— Aquí hay un viajero que se niega a retirar una cesta que estorba (*impede, be in the way*) en el pasillo.

— Señor, haga el favor de retirarla, le dice el guardia.

— Mire, que (*and*) si no obedece tendremos (Future Tense) que detenerle, añade el otro.

— Yo no retiro nada, señor guardia, contesta el viajero.

— ¿No?

— Que no. He dicho que nunca retiraré (Future Tense) la cesta del pasillo.

— Bueno, lo mejor es detenerle, dice uno de los guardias al otro.

— Claro, es tan (*so*) obstinado que no queda más remedio. Amigo, va la última vez. ¿Por qué no obedece? Si Vd. se niega a retirar esa cesta ahora mismo voy a detenerle.

— ¿Y con que derecho? (*right*).

— Pues,Vd. allí la ha puesto, y de allí. . . .

— ¿Yo? Yo no la he dejado allí.

— Pero ¿no es suya?, le pregunta el revisor con sorpresa.

— No, no es mía, contesta el viajero sonriendo.

— Pues ¿de quién es?

— Ha de ser de ése que está atrás.

— ¿Por qué no haberlo dicho antes? amigo.

— Porque Vd. debe enterarse antes de mandar.

Ejercicio 7. Translate into Spanish:

1. He reads easily. 2. At the present time I am learning Spanish. 3. He speaks fast, doesn't he? 4. He is waiting patiently in the corridor. 5. I eat little for (the) breakfast, and my wife eats less. 6. I have less money for the holidays than last year. 7. There is (remains) plenty of time left. 8. My companion is staying in a bigger hotel; he has more money. 9. They don't speak very distinctly, do they? 10. They have lost their money and they are returning very sad(ly) to their hotel. 11. It is a most lighthearted (cheerful) play. 12. He talks very cheerfully during the journey. 13. He speaks clearly. 14. The ticket-inspector listens to me attentively. He is very polite. 15. We are to (*haber de*) be at the theatre at 10 o'clock for the performance. 16. I am going to find out the time (hour) of the performance. 17. I have come across some (*unos*) friends in our hotel. They speak Spanish well. Good! 18. I have as much as you. They have as much as we. 19. Don't talk so (*tan*) fast. I don't understand you. Talk slowly, please. 20. Recently we have come across some Spanish novels. 21. He is sitting (seated) next to the window. 22. He refuses to leave to-morrow. He wants to leave later. 23. I refuse to speak fast. I want to speak more slowly. 24. Our table is next to the door; yours is next to the window.

LECCIÓN DIEZ Y SIETE

THE FUTURE TENSE

With this lesson learn the Future Tense of 'tener,' 'venir,' 'hacer,' 'decir,' 'poder,' 'poner,' 'saber'

43. To form the Future Tense in Spanish (I shall, you will, etc.) add to the infinitive (-ar, -er, -ir) the endings of the Present Indicative of 'haber,' viz.:

(h)é, (h)ás, (h)á, (h)emos, (hab)éis, (h)án. (Note the accent.)

The Future Indicative of 'hablar,' 'comer,' 'vivir.'
(I shall speak, eat, live, etc.).

	hablaré		comeré		viviré
	hablarás		comerás		vivirás
(Vd.)	hablará	(Vd.)	comerá	(Vd.)	vivirá
	hablaremos		comeremos		viviremos
	hablaréis		comeréis		viviréis
(Vds.)	hablarán	(Vds.)	comerán	(Vds.)	vivirán

Practice.

(i) I shall spend (pass), arrive, look at, wait for, buy, take, remain, take out, (ex-)change, look for, have a walk, ask (inquire), answer, call, eat, drink, read, bring, return, lose, go, sleep, write, decide, see.

(ii) In Question (i) replace 'I' by 'he' ('she,' 'it'), 'you' (Vd.), 'we,' 'they,' 'you' (Vds.).

Note the irregular Future: tendré (tener), vendré (venir), haré (hacer), diré (decir), saldré (salir), pondré (poner), podré (poder).

(iii) Conjugate: (*a*) 1. Tendré que salir esta tarde (Tendrás que, etc.). 2. Vendré mañana. 3. Haré una maleta. 4. Diré 'Buenos días.' 5. Saldré para Madrid.

6. Pondré la maleta en la red.   7. Me pondré un abrigo.
8. Podré hacerlo.

(b) Do (iii a) in the negative, e.g. 'No tendré que salir esta tarde,' etc.

VOCABULARIO

el refresco, refreshment
atractivo, charm

estudio, study
idioma, language
idiotismo, idiom
trato, dealings
jefe, chief, leader
asunto, topic, affair
suceso, event, happening
tesoro, treasure
los preparativos, preparations

la molestia, trouble
señal, signal
moda, fashion(s)
estancia, stay (in a place)

siguiente, following
cautivado, captivated
seguro(-a), sure

aprovechar, to profit by
perfeccionar, to improve
proveer, to provide
pernoctar, to spend a night
facturar, to register (luggage)
marchar, to start (train, etc.)
tratar de, try to

así, thus
de modo que, and so
de aquí en adelante, from now on
de vez en cuando, occasionally

LECTURA

Proyectos (Plans) para las Vacaciones

El año próximo visitaré (a) España con un grupo de estudiantes, pues al cabo de un año de estudio asiduo seguramente hablaré el idioma bastante bien para viajar sin molestia por ese país encantador, y así aprovecharé más llenamente mi estancia. Habrá mucho que ver, pues me dicen los que han visitado (a) España que es un verdadero tesoro artístico, y que me veré cautivado por su encanto y atractivo. De modo que haré todo lo posible, de aquí en adelante, para perfeccionar mi español aprendiendo idiotismos y palabras relacionados (connected) con los viajes para facilitar mi trato con los españoles.

Haré los preparativos necesarios con algunos meses de anticipación (beforehand), proveyéndome de un pasaporte, cheques de viaje e itinerario, etc. Haré el viaje en tren desde Londres a París y allí pernoctaré, si es posible, en un hotel cerca de la estación. Al día siguiente tomaré un taxi, pues no me será fácil ir a pie llevando mis pesadas maletas. Naturalmente lo mejor será llegar a la estación algún tiempo antes de salir el tren, porque tendré que facturar mi equipaje y enterarme del andén de donde saldrá el expreso.

No cabe duda de que allí veré a otros viajeros animados ante la perspectiva de un viaje agradable. Al llegar el expreso todos subirán muy de prisa a los departamentos para ocupar sus asientos previamente reservados, pondrán sus maletas en la red y luego, sentados cómodos, charlarán entre sí (*themselves*) esperando con paciencia la señal que dará el jefe de tren. Durante el viaje por Francia leeremos novelas, revistas o periódicos, y de vez en cuando pasaremos al coche comedor a tomar una comida o algún refresco, pues el viaje es bastante largo—unas trece horas. Por las ventanillas del coche miraremos el paisaje francés, hablaremos de las modas y sin duda habrá charla sobre los deportes, asuntos políticos, sucesos del mundo, las costumbres de los países extranjeros, etc. De ese modo pasaremos el tiempo de una manera muy agradable hasta llegar a la estación fronteriza de Irún.

Ejercicio 1. Change to the Future Tense:

1. Aprovecho mi estancia. 2. Trata de llegar a tiempo. 3. La función empieza a las diez. 4. Discuten el asunto. 5. Aprendemos el idioma. 6. No facturo mi equipaje. 7. Me han provisto de un pasaporte. 8. He perfeccionado mi español. 9. No come nada. 10. Hemos tomado un refresco. 11. Me encuentro con amigos. 12. Cierra la ventanilla. 13. No cuesta mucho. 14. Pierdo el enlace (*connection*). 15. Se sientan en el vagón. 16. Vuelvo a las once. 17. ¿Cuánto cuesta? 18. Vuelven temprano. 19. Pierden el tren. 20. Pruebo estos pitillos. 21. La función ha empezado. 22. Bebo café en España. 23. Escribimos postales ilustradas. 24. Nos hemos levantado temprano. 25. Es difícil. 26. Estamos cansados. 27. Subo al departamento. 28. Bajamos del taxi.

Ejercicio 2.   Change to the Future Tense:

1. Tenemos que cambiar de tren. 2. Viene a verme. 3. Lo hace fácilmente. 4. Tienen que esperar. 5. Venimos a verle a Vd. 6. No lo hago. 7. Lo digo al camarero. 8. Dicen: 'Buenos días.' 9. Me pongo un sombrero. 10. Se pone el traje de noche. 11. No puedo hacerlo. 12. No podemos ver el escenario. 13. Hay enlace para Madrid. 14. No hay mucha gente en la estación. 15. No sé la hora. 16. Ha perdido el tren. 17. Vamos a España. 18. Es mejor esperar aquí. 19. ¿Tiene Vd. que salir? 20. ¿Tenemos que cambiar? 21. ¿Qué dice de esto? 22. ¿Hay periódicos ingleses en España? 23. No sé cómo ir a la Ópera. 24. ¿Qué dicen sus amigos (de Vd.)? 25. ¿Hay un tren a las diez? 26. Me pongo traje de noche.

Conversación.

1. ¿Irá Vd. al teatro durante su estancia en Madrid? (Sí, de vez en cuando). 2. ¿Qué irá Vd. a ver? (zarzuela). 3. ¿Irá Vd. al Museo del Prado? (ver pinturas famosas). 4. ¿Cuándo irá Vd. a España (*i.* dentro de poco; *ii.* el año próximo; *iii.* en julio.) 5. ¿Cuándo saldrá Vd. para España? (por la mañana, tarde, noche). 6. ¿Qué hará Vd. en España? (*i.* ver cosas de interés; *ii.* hacer excursiones; *iii.* perfeccionar mi español). 7. ¿Hablará Vd. español en España? (un poco). 8. ¿Cómo irá Vd. a España? (*i.* en avión; *ii.* en el tren, en vapor). 9. ¿Cuándo volverá Vd. a Inglaterra? (*i.* fin de las vacaciones; *ii.* a fines de agosto). 10. ¿Ha visitado Vd. España? (nunca). 11. ¿Tratará Vd. de ir al extranjero? (si (*if*), tener bastante dinero). 12. ¿Qué comerá Vd. en el extranjero? (platos españoles). 13. ¿Qué vino de España conoce Vd.? (Jerez, Rioja, Málaga). 14. ¿Beberá Vd. vinos españoles? 15. ¿Dónde pernoctará Vd. en el viaje de ida (*outward*)? (París). 16. ¿Por qué pernoctará Vd. en el viaje de ida? (viaje largo). 17. ¿Cuánto tiempo estará Vd. en España? (15 días). 18. ¿Qué aprenderá Vd. de España? (costumbres, vida diaria). 19. ¿Dónde tendrá Vd. que cambiar de tren? (Londres, París). 20. ¿Irá Vd.

en primera o en segunda (clase)? 21. ¿Habrá otros viajeros en su departamento? (muchos). 22. ¿Tendrá Vd. asientos reservados? 23. ¿Estarán llenos los departamentos? (No cabe duda de que . . .). 24. ¿Cuándo hará Vd. sus preparativos? (con—semanas de anticipación).

Ejericicio 3. Translate into Spanish:

1. In a short time, a long time, some time, sometimes, often, rarely. 2. Occasionally, next year (week, month), last year (week, month). 3. The next day, fairly well, very well. 4. Nothing! Nobody! Never! More (less) time. 5. Until Monday (to-morrow, to-morrow morning, afternoon, night). 6. Early, late, immediately, earlier, later, now. 7. No doubt; there is no doubt; something new, something interesting. 8. At the end (*a fines*) of June, July, August, 9. To-morrow after breakfast, lunch, tea, dinner (supper). 10. Yesterday before breakfast, lunch, etc. 11. About 7 p.m., 7.15, 7.30, 6.45, 7.10, 6.40. 12. Recently; more than 60 pesetas; leave it (=Don't bother!). 13. Call a taxi; let's go and see it. 14. From now on I shall learn the idioms; the outward journey.

44. 'Will.' Translating the English 'will' needs care. Note the following:

1. The true English Future Tense is:

I *shall*	we *shall*
thou wilt	you will
he will	they will

2. 'I will' means (*a*) 'I am willing,' or (*b*) 'I am going to, I intend.' Therefore to translate such sentences as 'I will go and get information,' say 'Voy a pedir informes.'

3. 'Will you (come, go, etc.)' is usually 'Quiere Vd. (venir, ir, etc.).'

e.g. ¿Quiere Vd. ir a pedir informes acerca de los trenes? *Will you go and get information about the trains?*

Ejercicio 4. Translate into Spanish:

1. I will begin now. 2. I'll show you how to do it. 3. I

will stay here. 4. We will look at the fashions in this news-paper. 5. We will ask the porter. He will know (Future?) the time of the train. 6. He'll arrive (He is going to) shortly. 7. He won't go (does not want) to Spain, but he will (is willing to) go to France. 8. Will you put this suit-case on the rack? I shall not be able to get it down. 9. Will you tell me, please? 10. Will you go with (*acompañar*) me to Granada? 11. I'll explain. 12. I'll call a taxi now and we'll arrive (Future?) in time. 13. Will you call a taxi, please? 14. I'll go and see if the taxi has arrived. 15. Will you see (Future) any bullfights in Spain? 16. I don't like bullfights, but I will (I intend) go and see one.

45. 'Should, would.' The Conditional Tense ('I should speak,' 'he would speak,' etc.) is formed in Spanish by adding the endings -ía, -ías, -ía, -íamos, -íais, -ían, to the infinitive.

hablar-ía, *I should speak*   hablar-íamos, *we should speak*
hablar-ías, *you would speak*   hablar-íais, *you would speak*
hablar-ía, *he would speak*   hablar-ían, *they would speak*

Similarly 'comería,' etc., 'viviría,' etc. *I should eat, I should live*, etc.

This tense is treated more fully in a later lesson.

Ejercicio 5. Translate into Spanish:

(*a*) I shall have a good deal to do before going to Spain next August. I want to see the country and stay in some of the big cities. (And) so I shall have to learn the language and especially the idioms in order to profit by my stay. I want to improve my pronunciation (*la pronunciación*), learn common (*corriente, -s*) phrases connected with travel (plur.), hotels, and boarding houses, food, theatres, sight-seeing (*visitas*), etc. It would be best to know a little of the history, geography, and culture of Spain so as to derive pleasure and profit from my stay in a most charming country. The Spaniards are very likeable (*simpático, -a*), and Spain is a real treasure(-house) of art.

(*b*) 1. One can register luggage. The train starts at

10 a.m.   2. On the following day.   The charm of Spain.
Obviously we have missed the train.   3. I should like (It
would please me) to visit Toledo, Seville, and Granada.
4. We should like to spend a while (*rato*) in Madrid.   5. Ask
for information about the times of the trains.   The journey
would be fairly long.   6. It (i.e. the weather) would be
rather hot in summer.   I should like to go sight-seeing (*ver
las cosas de interés*).   7. I'll go and get (ask for) information.
8. Occasionally I should have a walk along the streets of
Barcelona.   In that way I should improve my Spanish.

LECCIÓN DIEZ Y OCHO

The Preterite Tense

46.

I spoke	*I ate*	*I lived*
habl-é	com-í	viv-í, etc., as for
habl-aste	com-iste	'comer'
(Vd.) habl-ó	(Vd.) com-ió	
habl-amos	com-imos	
habl-asteis	com-isteis	
(Vds.) habl-aron	(Vds.) com-ieron	

Note. Since 1953 certain verb forms of one syllable in the Preterite bear no written accent, hence: 'di, dio (dar)'; 'vi, vio (ver)'; 'fui, fue (ser, ir)'; 'oi (oir).'

Practice.

(i) Say the Preterite of: pasar, tocar, mirar, enviar, sentarse, acostarse, levantarse, ver, perder, deber, comprender, leer, salir, subir, abrir, escribir.

(ii) Conjugate the Preterite of (*a*) pasar un rato; (*b*) tocar (*play*) el piano, mirar los bailes; (*c*) enviar una postal; (*d*) sentarse en una butaca; (*e*) acostarse tarde; (*f*) levantarse temprano; (*g*) perder el tren; (*h*) leer una revista; (*i*) salir a la calle; (*j*) subir al departamento.

VOCABULARIO

el soldado, soldier
   moro, Moor, Moorish
   campeón, champion
   manto, cloak

la cabeza, head
   peregrinación, pilgrimage
   caridad, charity
   libertad, liberty
   hazaña, exploit
   aldea, village
   joya, gem

as orillas del mar, seaside

tocar, touch, play (piano)

mostrar(ue) } show
enseñar }
premiar, reward
agarrar, grasp, seize
huir, flee
nacer, to be born
despertar(se)(ie), awaken (oneself)
matar, kill
cortar, cut

sin embargo, however
mayor, greater, greatest
al anochecer, at nightfall
en efecto, in fact
¡Claro! obviously

LECTURA

El Cid

Todo el mundo ha oído hablar del Cid, el mayor héroe nacional de España. ¿Qué sabe Vd. de él? ¡Nada! Pues bien, voy a decirle algo.

Rodrigo Díaz de Vivar nació hacia el año 1040 en la aldea de Vivar cerca de Burgos, ciudad antigua y capital histórica de Castilla la Vieja. Esta ciudad tiene una catedral magnífica, una verdadera joya que verá Vd. sin duda en su visita a España. Pero para volver al caso (*point, subject*), el Cid fue el campeón del cristianismo contra los moros, el defensor de las libertades populares contra los monarcas, y hombre valiente y bondadoso.

Son innumerables las tradiciones acerca de las hazañas de este héroe. Se dice que una vez cuando joven mató y cortó la cabeza al conde (*Count*) de Gormaz que había (*had*) ofendido a su padre. Según otra tradición el Cid, yendo un día en peregrinación a Santiago, se encontró con un leproso, de quien todos huyeron con horror y repugnancia. Conmovido (*moved, touched*) por su aspecto lastimoso (*pitiable*) le cubrió con su manto y se sentó para comer con él. Luego le llevó en su caballo a la aldea. Al anochecer don Rodrigo se acostó con el leproso para mostrar su caridad, pero éste le despertó a la medianoche diciéndole que era (*was*) San Lázaro y que Dios le premiaría.

Otra tradición cuenta que un día se escapó un león y que el Cid agarrándole de la melena (*mane*) le hizo volver a la jaula (*cage*). San Pedro se le apareció poco antes de morir y le anunció que ganaría batallas hasta (*until, even*) después de su muerte, y en efecto cuando sus soldados llevaban (*were carrying*) el cadáver (*corpse*), los moros sus enemigos, al verlo, huyeron. El cadáver de don Rodrigo fue enterrado (lit. *interred*) en el monasterio de San Pedro cerca de Burgos donde aún (*still*) se ve su sepulcro, que es siempre visitado por los viajeros con admiración y reverencia.

Conversación. (Use object pronouns wherever possible.)

1. ¿Dónde pasó Vd. las vacaciones? (*i.* a orillas del mar; *ii.* en el campo; *iii.* España; *iv.* en el extranjero.   2. ¿Cómo pasó Vd. el día de ayer? (*i.* trabajando; *ii.* por la tarde, ir al cine).   3. ¿Dónde pasaron las vacaciones sus padres? (*i.* hacer un crucero (*cruise*); *ii.* costa del N. de España).   4. ¿No pasó Vd. las vacaciones en España? (*i.* Sí; *ii.* No, falta de dinero).   5. ¿A qué hora bajó Vd. esta mañana?   6. ¿Compró Vd. un periódico ayer?   7. ¿Envió Vd. cartas esta mañana? (conocido(-a) mío(-a)).   8. ¿A qué hora se acostó Vd. anoche? (*i.* eso de las once; *ii.* temprano; *iii.* tarde).   9. ¿A qué hora se levantó Vd. esta mañana? (7.0, 7.30, 7.45).   10. Vd. se lavó esta mañana, ¿verdad? (Claro que . . .).   11. ¿A qué hora se cerraron los almacenes ayer por la tarde?   12. ¿Salió Vd. esta mañana? (*i.* la oficina; *ii.* a dar un paseíto; *iii.* ir de compras (*shopping*)).   13. ¿Escribió cartas esta mañana? (*i.* un pariente (*relative*); *ii.* Agencia de Turismo).   14. ¿Cuándo se abrieron los almacenes?   15. ¿Leyó Vd. novelas? (*i.* una novela policiaca (*detective story*); *ii.* no tener tiempo).   16. ¿Le gustó a Vd. el trozo (*extract*) sobre El Cid? (*i.* mucho; *ii.* muchísimo; *iii.* hasta cierto punto).   17. ¿Ha oído Vd. hablar del Cid?   18. ¿En qué país vivió el Cid?   19. ¿Dónde nació.   20. ¿Ha estado Vd. en Burgos?   21. ¿Vió la catedral?   22. ¿Por qué mató al Conde el Cid?   23. ¿Por qué se acuesta Vd.? (descansar).   24. ¿Le gustaría a Vd. ir a España?   25. ¿Se acostaría a la una de la madrugada?   26. ¿Por qué no se acostaría a la una de la madrugada?

47. **The Preterite of Irregular Verbs.**

(*Note.* As mentioned in Par. 46 Note, 'di, dio'; 'vi, vio'; 'fui, fue'; 'oi' bear no written accent.)

Group 1 have -u- in the ending, thus: estuve (estar), tuve (tener), puse (poner), pude (poder), fui (ser), fui (ir), me detuve (detenerse, *pause*, *halt*), hube (haber).

Group 2 have -i- in the ending, thus: hice (hacer), vine (venir), quise (querer), di (dar), dije (decir).

Practice.

Conjugate the Preterite of estar, tener, detenerse, poner, poder, ser, ir, haber, hacer, venir, querer, dar, decir.

Conversación.   Answer in Spanish in complete statements, using the words in brackets:

1. ¿Dio Vd. un paseo ayer? (*i.* No, estar cansado(-a); *ii.* paseo largo; *iii.* paseíto). 2. ¿Dónde dio Vd. un paseo? (*i.* por las calles; *ii.* por la playa). 3. ¿Con quién dio Vd. el paseo? (*i.* conocido(-a); *ii.* esposo(-a)). 4. ¿Le gustó a Vd. el paseo? 5. ¿Hizo buen tiempo ayer? (*i.* Sí; *ii.* No, llover; *iii.* hacer frío, calor). 6. ¿Qué hizo Vd. ayer por la mañana? (*i.* ir, oficina; *ii.* hacer tareas domésticas; *iii.* quedarse en casa; *iv.* ir de compras). 7. ¿Cuándo vino Vd. a la clase? (*i.* la semana pasada; *ii.* esta tarde; *iii.* 6.55 p.m.). 8. ¿Con quién vino Vd. a la clase? (*i.* compañero(-a); *ii.* conocido(-a) mío(-a); *iii.* a solas (*alone*)). 9. ¿Qué puso Vd. en la red? (maleta). 10 ¿Qué puso Vd. señorita en su tocador? (polvos, perfume). 11. ¿Quiso Vd. levantarse esta mañana? (*i.* Sí; *ii.* No, estar algo cansad(o-a)). 12. ¿Quiso Vd. acostarse anoche? (Sí, trabajar, mucho, día). 13. ¿Fue Vd. al cine ayer? 14. ¿Fue Vd. al extranjero el año pasado? (*i.* No; *ii.* Francia; *iii.* Bélgica). 15. ¿Cuándo fue Vd. al extranjero? (*i.* hace— años; *ii.* año pasado). 16. ¿A dónde fueron sus amigos de vacaciones? (playa inglesa). 17. ¿Dónde se puso la ropa esta mañana? (habitación). 18. ¿Qué me dijo Vd. al llegar aquí? (Buenos(-as) días (tardes)). 19. ¿Fueron sus amigos (de Vd.) al cine esta semana? (el lunes pasado). 20. ¿Ha hecho Vd. adelantos en su español (*progress*)?

Ejercicio 1.   Change the verb to the Preterite:

1. Reconozco a un conocido. 2. Me señala el camino. 3. El Cid mata a su enemigo. 4. El Cid reconoce a sus enemigos. 5. Le veo a Vd. en Burgos. 6. Comemos fruta. 7. ¿Debe Vd. salir? 8. Toco el piano. 9. ¿Toca Vd. bien el piano? 10. Envío postales ilustradas. 11. Subo al departamento. 12. Se abre el almacén a las nueve. 13. ¿Por qué se va Vd.? (irse: *to go away, off*). 14. ¿Por qué

dice Vd. eso? 15. ¿Cuándo sale Vd. para España? 16. ¿Dónde pone Vd. su billete? 17. No puedo hacerlo. 18. Ponemos nuestras maletas en la red. 19. Hay enlace para Burgos. 20. Nos detenemos delante de un almacén. 21. ¿Tiene Vd. que quedarse en Inglaterra? 22. El toro es matado por el torero. 23. Mi amigo va a ver una corrida. 24. Voy a España. 25. ¿Qué hace Vd.? 26. ¿Cuándo viene a verle a Vd.? 27. Doy un paseo. 28. Digo, 'Gracias.' 29. Me encuentro con un amigo en Burgos. 30. ¿Se acuesta Vd. tarde?

Ejercicio 2. Idiom Practice.

1. I have heard of the Cid (I have heard speak of, etc.). 2. A splendid building, a real gem. 3. Let's (*Vamos a*) come back to the point. 4. The matador killed the bull. 5. I went on (a) pilgrimage to Montserrat. 6. I came across (met) a friend. 7. When night was coming on (At nightfall) we went back to the hotel. 8. Please waken me early. 9. Don't waken me early as (for) I shall be tired after dancing. 10. You will have to go away (off) early. 11. In fact I have bought a ticket. 12. I like to go off on holiday to the seaside, abroad. 13. I had (went for) (*hacer*) a cruise in the Mediterranean some time ago. 14. Through lack of money; to go off (away); obviously. 15. Obviously he (It is obvious that he) is a Spaniard. 16. We had to change (trains) at Burgos. 17. To a certain extent; let's see. 18. It will be pleasant to walk through the streets of a foreign city.

Ejercicio 3. Conjugate the Preterite of:

(*a*) 1. tener que esperar; 2. ponerse el abrigo; 3. ir a España; 4. detenerse un momento; 5. hacer proyectos; 6. Venir a la clase de español; 7. dar un paseíto; 8. ver las cosas de interés.

(*b*) Repeat the above in the negative.

(*c*) Repeat 3(*a*) in the Present Indicative, Perfect Indicative, Future, Conditional. Repeat these in the negative.

LECCIÓN DIEZ Y NUEVE

48. **The Relative Pronoun** *who, which, that* (persons or things singular and plural) is *Que*.

Quien(-es): *whom* (i.e. persons only) after a prepositions e.g. a quien(-es), de quien(-es), para quien(-es).

e.g. (i) Conozco al matador *que* figura hoy en el programa.
(Subject: person.)
I know the matador who is appearing in to-day's programme.

(ii) Es un toro magnífico *que* sale ahora.
(Subject: thing.)
It is a magnificent bull that is coming out now.

(iii) ¿Dónde está el programa *que* compró Vd.?
(Object: thing.)
Where is the programme you bought?

(iv) Es el matador *a quien* vio Vd. la otra vez.
(Object: person.)
It is the matador (that) you saw last time.

N.B. 'a quien'; personal 'a' indicating a definite person.

(v) He visto a los actores *de quienes* Vd. habla.
I have seen the actors you mention.

N.B. The Relative Pronoun, often omitted in English, must be translated in Spanish (Examples (iii), (iv), (v).)

VOCABULARIO

el espectador, spectator
toro, bull
pañuelo, handkerchief
los acordes, chords, strains
el jinete, horseman
desfile, procession
toril, bull-pen
encargado, man in charge

el ruedo, (bull-)ring
cuerno, horn
torero, bullfighter

la corrida de toros, bullfight
lanza, lance
pica, pike
lanzada, lance-thrust

106

la lucha, struggle
piedra, stone
gradería, terraces
cuadrilla, troop, band
llave, key
capa, cape
cornada, thrust with horns
mismo, -a, same

emplear, to use
desarrollarse, (lit.) unfold, develop
parecerse a, resemble
rodear, surround
proteger, protect

saludar, greet
arrojar, throw
distraer, distract
herir(ie), wound
amenazar, threaten
apartarse, draw (step) aside
matar, kill
acercar, to move (s.th.) near
acercarse, to approach

sólo, (adv.) only
sino (sino que before a clause), but,
(used when the second element
contradicts the first)

LECTURA
Una Corrida de Toros

En los tiempos pasados se verificaron (*take place*) corridas
entre el toro y hombres a caballo empleando sólo lanzas o
picas. No mataban (*used to . . .*) a los toros sino que les
daban lanzadas. Hoy día se desarrolla la lucha entre el
hombre y el toro. La escena de una corrida, la Plaza de
Toros, se parece hasta cierto punto a un campo de fútbol
inglés. La arena está rodeada con asientos de piedra (o,
con gradería (*terraces*)) donde los espectadores están parcial-
mente protegidos del sol.

Cuando está en el palco, el Presidente de la Corrida hace
una señal con el pañuelo; a los acordes de la música (*music,
band*) sale la cuadrilla por una puerta situada frente al
palco presidencial. Primero van los alguacilillos vestidos
como jinetes del siglo (*century*) dieciséis, luego los matadores
en traje de seda con adornos bordados (*embroidery*), a la
cabeza de sus cuadrillas (o, equipos). Estas están inte-
gradas (*made up*) por los banderilleros a pie llevando también
trajes de seda, y por los picadores a caballo.

La cuadrilla saluda al presidente y aplauden todos los
espectadores, luego el desfile se dispersa. Los alguacilillos
reciben la llave del toril (*bull-pen*) que les arroja el presidente,
y con un galope espectacular la llevan al encargado del

Una corrida de toros

toril. Sólo los capeadores (*bullfighters with cloaks*) se quedan en la arena. Son éstos los toreros que dan lances (*cast, flutter*) de capa al toro para distraer le atención del animal y cansarlo, preparándolo así para los lances siguientes.

A la señal hecha por el presidente entran los picadores que llevan lanzas muy largas y van montados en caballos no muy robustos pero protegidos contra las cornadas del toro enfurecido (lit. *made furious*). Durante la corrida se quedan cerca de la barrera. Al toque de clarín (*bugle-call*) se abre el toril y el toro se lanza al ruedo, se detiene un momento deslumbrado (*to dazzle*) por la claridad, y confuso con los aplausos de los espectadores. A los pocos minutos busca a quien atacar; se acercan los capeadores y el matador que se luce (*shows off*) en algunos lances con capote (capa). Al segundo toque de clarín los capeadores acercan el toro a los picadores que lo están esperando cerca de la barrera cuando el toro les acomete. Se defienden a sí mismos (*themselves*) y al caballo con la pica. Muchas veces el toro hiere al caballo con los cuernos a pesar de la guarnición (*protective covering*). En cuanto a los capeadores, dan lances de capa al toro para cansarlo y enfurecerlo. Agitan (*wave, agitate*) sus capas rojas a algunos pasos del toro; éste se lanza amenazador hacia ellos, pero de una manera muy hábil se apartan dando prueba de su destreza (*skill*) admirrable en sus movimientos rápidos y ágiles.

Ahora se presentan los banderilleros llevando en las manos dos banderillas cada uno. Una banderilla es una especie de flecha (*arrow*) con arpones y ornada con cintas (*ribbons*) de diversos coloridos. Los banderilleros se acercan valientes al toro, y a pesar de sus embestidas (*attacks, rushes*) furiosas clavan (lit. *nail*) las banderillas entre los hombros (*shoulders*) amplios del animal. Este juego se repite por otros dos banderilleros, y al cabo de algún tiempo tiene el toro un aspecto cansado y sangriento (*bleeding*). Cuando se oye otro toque de clarín avanza el matador de debajo del (*beneath*) palco, da algunos pases (*pass, thrust*) hábiles al toro y lo mata.

Ejercicio 1. Translate into Spanish:

1. It is the programme which I bought. 2. I like the hat which you saw in the window. 3. It is Frascuelo, a matador, who is famous through(-out) all Spain. 4. The picadors are the bullfighters who are (go) on horse(-back). 5. It is the matador Frascuelo whom they are applauding (*aplaudir*). 6. It is the matador whom (that) I saw the last (other) time. 7. They are the same seats in which I sat the other time. 8. It is a programme in which Frascuelo appears (*figurar*). 9. The film that he saw; the matador that he saw. 10. The postcard (that) I wrote; the same matadors (that) we saw. 11. The people for whom I reserved the seats; it is the same matador we are talking about (of whom we, etc.). 12. The bullfight you are talking about; the bull seeks whom to attack.

49.
1. *El cual* (*la cual, los cuales*, etc.), or *el que* (*la que, los que*, etc.): who (whom), which.

These are used: (i) after 'por,' 'sin,' and long prepositions ('delante de,' 'alrededor de,' etc.).

(ii) to avoid ambiguity (since the first part of the pronoun, 'el-,' 'la-,' etc., denotes gender, number).

e.g. Paramos en un hotel delante del cual hay una plazuela.
We are staying in an hotel in front of which there is a little square.
Una ciudad alrededor de la cual hay una muralla.
A city around which is a wall.

2. *Lo que*. Refers to a previous statement, or translates the English relative pronoun 'what' (that which).
e.g. Dígame lo que Vd. ha visto. *Tell me what you have seen.*

Ejercicio 2. Translate into Spanish:

1. I have lost my ticket without which it is impossible for me (*me es imposible*) to travel. 2. Rewarded by the country for which they gave their lives (*la vida*). 3. A table behind which there are some chairs (*silla*). 4. Picadors in front of whom stands (is) the bull. 5. A ticket without which

passengers will not receive their luggage. 6. A house in front of which is a garden. 7. The toril inside of which is a bull. 8. Tell me what you saw at the bullfight. 9. I didn't like what we saw at the corrida. 10. Sometimes I don't understand what the Spaniards say to me. 11. We sat down in a ring-side seat (*un tendido*) in which there were some Spaniards. 12. A magazine? — Yes, the one (*la*) which you bought.

50. *Cuyo, -a, -os, -as* (adjective): whose.

(i) Un español *cuyo* equipaje está en nuestro departamento.
   A Spaniard whose luggage is in our compartment.

(ii) Un coche cuya puertecilla se abrió.
   A car the door of which opened.

(iii) Estudiantes cuyos ejercicios son tan buenos.
   Students whose exercises are so good.

Ejercicio 3.   Complete the following:
   1. A picador (whose horse) recibió una cornada. 2. Un espectador (whose seat) estaba vacío. 3. El Cid (whose name) [nombre] fué don Rodrigo Díaz de Vivar. 4. Dos taxis (the doors of which) [whose doors] se abrieron. 5. Pasajeros (whose luggage) está en la red. 6. El toril (the door of which) está cerrada. 7. Dos tendidos (the seats of which) son de piedra. 8. El Cid (whose father) fue matado. 9. Barcelona (the streets of which) son anchas y pintorescas. 10. España (whose cathedrals) son magníficas. 11. Los matadores (whose suits) son de seda con adornos bordados.

51. **Interrogative Pronouns and Adjectives.**

¿Quién(-es)?: *who?, whom?*
¿De quién(-es)?: *whose?*
¿A (con, para) quién(-es)?: *to (with, for) whom?*
¿Qué?: *what?, which?*
¿Cuál(-es) de . . .?: *which of . . .?*
e.g. ¿Quién trajo esto?: *Who brought this?*
    ¿Quiénes están en nuestro departamento?: *Who are in our compartment?*

¿De quién es este billete?: *Whose ticket is this?*

¿A quiénes ha escrito Vd. las postales?: *Whom have you written the cards to?*

Note 1. ¡Qué . . . ! as an exclamation: *What . . . !* (*How* +adjective). ¿Cómo?: *How?*

e.g. ¡Qué bonito(-a)!: *How pretty!*

¡Qué vestido tan (*or*, más) bonito!: *What a pretty dress!*

Note 2. ¿Cuál(-es) . . . ? is an adjective, and is used when the noun and its adjective are separated.

e.g. ¿Cuál de estos asientos desea Vd.?: *Which of these seats do you want?*

¿Cuáles de las revistas le gustan a Vd.?: *Which (ones) of the magazines do you like?*

Lectura

1. Si miro un baile español que me gusta mucho exclamo: '¡Qué bonito!'   2. Si pierdo el tren exclamo: '¡Qué fastidio (*nuisance*)! o, ¡qué lata!'   3. Si un amigo me hace un favor o me da un regalo (*present*), o me ayuda (*help*) a hacer algo yo exclamo: '¡Qué amable (*kind*) es Vd.!'   4. Si veo algo muy desagradable o si alguien (*someone*) me da malas noticias exclamo: '¡Qué horror!'   5. Si oigo hablar (*hear of*) de algo muy desagradable o cruel exclamo: '¡Qué barbaridad!'   6. Si me encuentro con un amigo le digo: '¿Qué tal?'

Conversación. (I) Answer in Spanish in complete statements, using the words suggested:

1. ¿Quién habla español? (Yo . . .).   2. ¿Quién ha visto una corrida? (*i.* Yo; *ii.* no ver).   3. ¿Quién quiere ir a España?   4. ¿Cuál de Vds. ha hablado con un español? (Ninguno de).   5. ¿De quién es este Lidro de Español? (*a.* mío; *b.* suyo; *c.* el de Vd.).   6. ¿De quién es este libro? (*a.* mío; *b.* el del señor Brown).   7. ¿A quién habla Vd.? (profesor).   ¿Con quiénes habla Vd. antes de la clase? 8. ¿Para quiénes sacó Vd. localidades? (*i.* mis conocidos; *ii.* conocidos míos; *iii.* padres).   9. ¿Cuáles de los verbos son

difíciles? (irregulares). 10. ¿De qué habla Vd? (*i*. modas; *ii*. corridas; *iii*. deportes; *iv*. precios de los artículos). 11. ¿Cuál es el mejor hotel de Barcelona? (Hotel Continental). 12. ¿A quién saluda la cuadrilla? (presidente).

(II) Supply questions for the following answers:

1. Iré a España lo más pronto posible. 2. No vamos a ver una corrida. 3. Porque me parece cruel una corrida. 4. Daré paseos por las calles de Barcelona. 5. Pasaré un rato en la Costa Brava. 6. El presidente dio la señal al encargado del toril. 7. Hizo la señal con un pañuelo. 8. Picaron al toro con lanzas. 9. Los capeadores distrajeron la atención del toro. 10. La claridad deslumbró al toro. 11. Las lanzas hieren al toro. 12. Es mi asiento a mí.

Ejercicio 4. Translate into Spanish:

1. Who has seen a bullfight? 2. Who are the picadors? 3. Whom did you see in the procession of bullfighters? 4. Who wants to see a bullfight? — I do. We do. 5. What do you want to see in Madrid? 6. What are you going to do this afternoon? 7. To whom did you send the postcard? 8. For whom did you buy the present? 9. Of (About) whom are you talking? 10. Whose is this seat? 11. What are you talking about? 12. Whose newspapers are these? 13. Which (What) street are you looking for? 14. How many times have you been to Spain? 15. In which hotel did you stay? 16. Which of you has spent the holidays in Spain? 17. To whom did you write? 18. What did you order (*pedir*(*i*))? 19. What food (dishes) did you eat? 20. Which of the dishes did you like (*gustar a*)? 21. How hot it is (the weather)! How kind of you! 22. Where are you going (to)? 23. How are you? How awful! 24. What a nuisance! Whom do you know in Barcelona? 25. Who is it? Who are they? Who is (figures) on the programme? 26. Who are (figure) on to-day's programme? Whom do you know, see, recognize, look for? 27. Whose room (ticket, suit-case, hat, coffee) is this? 28. Whose places (books, seats, tickets, paintings) are they?

Ejercicio 5.   Translate into Spanish:

1. Many Spaniards went to see a bullfight in which a famous matador Frascuelo figured.   2. One did not see many women among (*entre*) the spectators.   3. The seats were (cost) fairly dear.   4. There are Spaniards who do not like these bullfights, which are rather cruel.   5. Six bulls were killed, are killed, during the whole performance. 6. The president from his box gave (made) a signal with his (the) handkerchief, there was a trumpet call, a door opposite the box opened (itself), and then the cuadrilla appeared with two alguacilillos at the head.   7. Later another signal was given (*one gave*) and soon the door of the bull-pen opened.   8. The capeadores began the fight.   The bull attacked the picadors, who gave thrusts with their lances at the maddened animal.   9. The bull wounded the horse in spite of the protective covering.   10. Which of the bull-fighters are picadors?   11. Which is the matador?   12 What a fine bull!   It is the one which is coming out at this moment. 13. Look!   How awful!   The bull has wounded the picador's horse.   14. Which of these seats do you want? 15. What a fine sight (spectacle)!

LECCIÓN VEINTE

52. In Lesson 9 the subject pronouns were shown to be:

yo	(hablo)	*nosotros*	(hablamos)
tú	(-as)	*vosotros*	(-áis)
él, ella, ello	(-a)	*ellos, ellas*	(-an)
Vd.	(-a)	Vds.	(-an)

Replace in the above list 'yo, tú' by 'mí, ti' and you have the Disjunctive (Emphatic) Pronouns, viz.:

mí	nosotros	*me*	*us*
ti	vosotros	*you* (famil.)	*you* (famil.)
él, ella, ello	ellos, ellas	*him, her, it* (neut.)	*them*
Vd.	Vds.	*you* (polite)	*you* (polite)

They are used: (1) after prepositions (para, con, a, de, etc.)
(2) to emphasize.

e.g. Una carta para mí: *A letter for me.*
Acerca de él: *About (regarding) him.*
Para mí, es todo uno: *Personally, it's all the same. It is all the same to me.*
Hacia nosotros: *Towards us.*
Una carta para Vd.: *A letter for you.*

Note 1. Neuter 'ello' refers to an idea or statement, etc., that can have no gender.

e.g. Pienso en *ello*: *I am thinking about* it (e.g. *going to Spain.*)

Note 2. After the preposition 'con' (*with*) say 'conmigo,' 'contigo,' 'consigo': *with me, with you* (famil.), *with him-* (*her-, one-, them-*)*self.*

Practice. Continue the following:
1. Para mí, ti, él, etc. 2. Detrás de mí, etc. 3. Conmigo, etc. 4. Después de mí, etc. 5. Frente a. Cerca de.

Delante de. 6. Vd. habla de mí, etc. 7. Una carta para mí, etc. 8. El tendido detrás de mí, etc. 9. Está andando hacia mí, etc. 10. El asiento frente a mí, etc. 11. La gente cerca de mí, etc. 12. La señora delante de mí, etc. 13. Venga Vd. conmigo, etc. 14. Una discusión acerca de mí, etc.

Ejercicio 1.   Translate into Spanish:

1. The spectators in front of us. 2. The row (of seats) behind you (Vd.). 3. He is looking towards me. 4. I am having a talk with him. 5. The gentleman near her. 6. A letter concerning them. 7. I shall go away (*irse*) without her. 8. A chat with us. The row in front of them (fem.). 9. The people facing (opposite) us. The passengers behind them (masc.). 10. He is walking towards you (sing., plur.). Tickets for us. 11. I have thought about (*en*) it. 12. They are talking to (with) him at this moment. 13. He has supper with me every evening. 14. I have a walk with him on Sunday afternoon. 15. They are sitting (seated) behind us. 16. She will be sitting near you in the *patio de butacas*.

VOCABULARIO

el aparato, set (wireless)
escolar, scholar
gusto, taste
medio, means, medium
recreo, relaxation
Locutor, announcer
radioescucha, listener
niño, -a, child
placer, pleasure
provecho, profit
aficionado, -a, enthusiast(ic)

la charla, talk
flor, flower
radiodifusión, broadcasting
emisión, broadcast

(el) ama de casa, housewife
acogida, welcome
vida, life

(la) tierra, earth
emisora, broadcasting station

funcionar, to work, to go (machines)
proporcionar, to provide
dedicar, to devote
sacar, to derive
dar las noticias, to tell news
ganar, to earn, to gain
(no) importar, (not) to matter
sintonizar (con.), to tune in (to)
gozar de, to enjoy
tener éxito, to be successful
hacer   } un papel, play a part,
desempeñar }   role

destinado, -a a, intended for
ultramar, overseas
mientras, while
e, and (before i-, hi-)

LECTURA

La Radio (Radiodifusión)

Como la mayor parte de la gente de hoy soy aficionado a la radio, y siempre siento un vivo interés por ella. Por supuesto (*of course*) tenemos, como Vd., un aparato de radio o de televisión que, por lo general, funciona muy bien. Es muy útil y agradable, al bajar al comedor por la mañana, sintonizar con una estación inglesa y oir la voz del Locutor dando el Boletín de Noticias, y mientras tomamos el desayuno, poder gozar de un programa de música alegre y ligera.

Desde las seis y media de la mañana hasta media noche los radioescuchas pueden oir programas recreativos, culturales, científicos, e instructivos. Hay emisiones destinadas a las amas de casa, a los escolares y a los niños. Por otra parte, en los programas de la noche figuran discursos dedicados a los eruditos (*highbrow*) con una base literaria, científica, musical, etc. De éstos se puede sacar placer y provecho. Este, en las emisiones de la B.B.C. se llama el Tercer Programa.

La B.B.C. proporciona tres programas, a saber (*namely*) el Servicio Nacional, el Servicio Ligero, y el Tercer Programa, y de este modo satisface a todos los gustos: popular, serio, y erudito. Por lo general, hallan estos programas una acogida favorable. Además de los servicios metropolitanos (*home*) hay otros llamados Servicios de Ultramar, los cuales tienen mucho éxito. No cabe la menor duda de que la Radio desempeña un papel muy importante en la vida nacional. Lo mismo podemos afirmar respecto a la vida mundial, pues los tañidos (*chimes*) del Big Ben llegan hasta los rincones más lejanos (*distant*) de la tierra con sus múltiples y variadas emisiones.

La radio es poderosa (*powerful*) arma tanto (*so much*) se la emplea para el bien como para el mal. Puede ser fuente (lit. *fountain*) de arte y de cultura. Por ejemplo en Córdoba (*Argentina*) emisora hay que proporciona un programa desarrollado por niños, que cantan música indígena (*native*) especial y recitan poesías. Encontramos en ello una ver- dadera escuela de formación de artistas para mañana.

53. Object Pronoun 'se.'

The object pronoun 'se' replaces 'le': *to him, to her* (*it, you*), and 'les': *to them, to you*, plural in the combinations:

se lo (*it* (masc.) *to him, it to her, it to you, it to them*).
se la (*it* (fem.) *to him, it to her, it to you, it to them*).
se los (*them* (masc.) *to him, to her, to you, to them*).
se las (*them* (fem.) *to him, to her, to you, to them*).

e.g. Se lo doy: *I give it* (masc.) *to him* (*her, you, them*).
     Se la envío: *I send it* (fem.) *to him* (*her, you, them*).
     Se los digo: *I say them* (masc.) *to him* (*her, you, them*).
     Se las envío: *I send them* (fem.) *to him* (*her, you, them*).

Therefore, since the object pronoun 'se' can mean 'to him, to her, to you,' avoid ambiguity, or emphasize by adding:

a él (*to him*), a ella (*to her*), a Vd. (*to you*), a ellos (ellas) (*to them*).

e.g. Se lo doy a él: *I give it to him.*
     Se lo doy a Vd(s).: *I give it to you.*
     Se la doy al señor López: *I give it* (fem.) *to Mr López.*

54. Emphasis.

To emphasize use both an object pro- noun (le, la, lo, me, etc.) along with a disjunctive (emphatic) pronoun.

e.g. No me gusta a mí }
or,   A mí no me gusta } *I don't like it.*

LECTURA

1. 'Señor López, tengo una carta para su hermano (de Vd.), pero se la daré a Vd. Vd. puede dársela más tarde, ¿no es verdad?' 2. 'Tengo aquí cartas para los demás (*rest, others*); ¿quiere Vd. dárselas a ellos?' 3. '¿Han oído sus

padres las noticias?   No se las di a ellos ayer.'   4. '¿Envió
Vd. dinero a su hermano (de Vd.)?' — 'Sí, se lo envié a él,
pero no a mi hermana, porque ella tiene bastante dinero.
Ella es rica, pues ha ganado un premio (*prize*) en la lotería.'
5. Hoy es el cumpleaños (*birthday*) de mi madre, y voy a
enviarle un libro.   Sí, se lo enviaré (a ella) en seguida
(*at once*).

Ejercicio 2.   Translate into Spanish:

1. The letter that arrived? — I have given it to him.
2. A tip for the waiter! — I have given him it.   3. Flowers
for my wife? — I have sent her them.   4. We have missed
the train, but don't tell them so (it).   5. I have lost the
tickets, but don't tell him so — No, I will not (am not going
to) tell him (it).   6. Have you my passport? — I have
already (*ya*) given you it.   It is in the suit-case.   7. Ten
pesetas!   I don't want to give them to them.   I am not
going to give them them.   I don't like giving them them.
8. The news?   Oh yes, tell them it.   9. These newspapers,
pass them to her, please.   She wants to see them, so give
her them.   10. Here is a nice postcard.   Send it to him.

Emphasis.   Study the following (haya: *has, have*):

1. ¿Qué me importa a mí que haya perdido el tren?   Hay
otro dentro de media hora.   2. A mí no me importa que el
tren haya salido.   No le importa a Vd. tampoco (*either*),
pues podemos ir a ver las cosas de interés de la ciudad.   3.
No me eche a mí la culpa (*throw the blame*).   Vd. no se
levantó bastante temprano para llegar a tiempo a la estación.
4. A mí me gustan las corridas de toros.   A las señoras no
les gustan.

Ejercicio 3.   Translate into Spanish:

1. *I* like coffee.   Do you (and to you)?   2. *I* don't like
travelling (*los viajes*).   3. *You* don't like bullfights, do you?
4. It doesn't matter to my *sister*, but it does matter to *you*.
5. I gave my passport to *you*, not to *him*.   6. Personally, I
like travelling, but my *wife* doesn't.   *She* likes staying in an

hotel at the seaside.   7. *I* haven't seen a bullfight but *he* has (lit. 'he, yes').   Have you? (And you?).

Ejercicio 4.   Translate into Spanish:

1. I came home about six o'clock rather tired, and sat down in an arm-chair (*sillón*).   The announcer was giving (*estaba* —) the news and so (*de modo que*) while I was having (*tomaba*) (the) tea I listened to him.   2. The best (thing) is to sit in an arm-chair after a day's work and listen-to (hear) a programme of light music.   If I feel inclined (*tener ganas*) I tune-in-to a foreign station to listen to (hear) a talk.   3. The broadcasts began early and ended late.   4. On the evening I am speaking of (of which I, etc.) there was a talk in Spanish. 5. What is the speaker, the broadcaster (*orador*), talking about (of what, etc.)?   — I don't know. I think the best thing would be to listen attentively (with attention) to see if we can understand him.   6. There will be a programme for the children at 5.15 this evening.   7. On the other hand; a programme devoted to . . .; it is a little 'highbrow.'   8. It was (will be, has been) successful; it doesn't matter.   9. I get (derive) pleasure from (infin. after preposition) listening-to (hearing) talks from abroad; the set, the broadcast, an overseas broadcast.

LECCIÓN VEINTIUNA

THE IMPERFECT INDICATIVE

55. The Imperfect Indicative.

I was (speaking, eating, living).
I used to (speak, eat, live).

	hablar	*comer*	*vivir*
	habl-aba	com-ía	viv-ía
	-abas	-ías	etc.
(Vd.)	-aba	-ía	
	-ábamos	-íamos	
	-ábais	-íais	
	-aban	-ían	

Notice the similarity of endings in both conjugations:

hablab-}
Comí-} -a, -as, -a, -amos, -ais, -an

Practice.

(i) Repeat the Imperfect Indicative of: echar, dejar, bailar, pagar, llamar, suceder, querer, leer, hacer, tener, salir, subir, decir, venir, dormir.

Note. ser, *to be*, has Imperfect Indicative: era, eras, era, éramos, érais, eran.

ir, *to go*: iba, ibas, iba, íbamos, íbais, iban.

haber: había (third person singular): *there was, there were* (cf. hay, habrá, hubo).

(ii) Conjugate the Imperfect Indicative of:

1. dejar el equipaje; 2. bailar cada tarde; 3. pagar la cuenta; 4. llamar al camarero; 5. querer salir; 6. leer el programa; 7. tener ganas; 8. venir a ver; 9. ir al extranjero; 10. no hacer nada.

Ejercicio 1.   Complete the following:

(*a*) 1. (I was talking to him) en el momento en que Vd. llegó. 2. ¿(Were you) cansado(-a), después del paseo?

3. Por la tarde (we used to have) un paseo por la playa.
4. ¿(Used you to send them) postales todas las semanas?
5. (They were) andando por el 'Paseo de Gracia' cuando tropezaron conmigo. 6. (There were) muchas pinturas famosas en el museo. 7. (There was) un accidente anoche en la esquina de la calle. 8. (They used to derive) mucho provecho de las charlas extranjeras. 9. Una emisora española (used to provide) lecciones de inglés. 10. (We used to go) al teatro de vez en cuando.

(b) Repeat Ejercicio 1 (a) and Practice (ii) in the negative.

(c) Repeat the first person singular and plural of the Present, Imperfect, Future, Preterite of: dedicar, ver, salir, encontrar(ue), preferir(ie̩,i), tener, hacer, querer.

VOCABULARIO

el **encabezamiento**, heading, headline
percance, mishap
tranvía, tram(-way)
periodista, reporter
comercio, trade
bandido, gangster
robo, robbery
asesinato, murder
anuncio, advertisement
empleo, situation, 'job'
diario, 'daily' (paper)
semanario, weekly (paper)
dibujo, drawing
sitio ⎫ place, spot
lugar ⎭
comestibles, food-stuffs

la **estrella**, star
nevera, refrigerator
lavadora, washer
Prensa, Press
criada, maid
venta, sale
lejano, -a, (far) distant

aun, even
peligroso, -a, dangerous
entero, -a, entire
semanal, weekly
mensual, monthly
así como, as well as

abarcar, include, comprise
coger, take (in the hand)
aparecer, to appear

LECTURA

La Prensa

Cada mañana cuando llegaba el periódico a eso de las ocho la criada lo dejaba en mi sitio (puesto, lugar) en la mesa del comedor. Al entrar en el cuarto me sentaba, y mientras esperaba a mi esposa cogía el diario para pasar un rato leyendo los encabezamientos y mirando las fotografías. De vez en cuando se me ocurría pensar que los periodistas llevan (*spend*) una vida muy interesante y variada y aun a veces peligrosa.

Había en el periódico noticias de actualidades del país y del mundo entero, es decir, noticias de accidentes y percances de la circulación, de robos y asesinatos, del Comercio, de cuestiones financieras y de asuntos políticos. Otras páginas estaban dedicadas a las modas, a los deportes y deportistas, al teatro, actores y actrices, al cine y las estrellas del mismo. Por último había dibujos de neveras y lavadoras eléctricas, anuncios acerca de asuntos diversos, por ejemplo, ventas en los grandes almacenes, empleos, espectáculos, etc., y por supuesto 'Crucigramas.'

En la lista de periódicos actuales se encuentran los que aparecen cada día, sea por la mañana — matutinos, o por la tarde — vespertinos. Luego hay semanarios, revistas ilustradas en colores, y revistas humorísticas para niños. Éstos abarcan dibujos graciosos, historietas de 'super-hombres,' bandidos, cowboys e indios norteamericanos. Por último hay revistas mensuales dedicadas a la ciencia, a la medicina, al arte y a la literatura. La prensa, así como la radio, desempeña un papel importante en la vida de un país, pues nos proporciona solaz (*relaxation*), instrucción, pasatiempos, anuncios, noticias de los rincones más apartados (o lejanos) del mundo, sobre ciencia, cultura, progreso,y de otros múltiples aspectos de la vida cotidiana (*daily*).

Conversación.

1. ¿Qué noticias había en el periódico de ayer? 2. ¿Qué quiere decir 'actualidades'? (asuntos de hoy, sucesos, etc.). 3. ¿Qué leía Vd. cuando joven? 4. ¿Qué leían sus hermanitos? sus hermanitas? sus padres? 5. ¿Qué asuntos le interesaban a Vd.? Y ahora, ¿qué le interesa? 6. ¿Le interesaban a Vd. 'Crucigramas'? ¿Y ahora? (*i.* Sí, mucho; *ii.* es perder (*waste*) el tiempo; *iii.* ser aburridas). 7. ¿Le interesaban asuntos deportivos? 8. ¿Es Vd. deportista? ¿Y su hermano? ¿Su hermana? (el tenis, el

fútbol, el boxeo). 9. ¿Hace Vd. deportes? (*i.* Sí, etc.; *ii.* no tener el tiempo; *iii.* demasiado viejo para). 10. ¿Qué asuntos se encuentran en las revistas dedicadas a los niños? 11. ¿Qué quiere decir 'superhombres'? (fuertes, músculos poderosos (*powerful*), altos, valientes, etc.). 12. ¿Se interesa Vd. por las estrellas del cine? (hermoso(-a), elegante, películas policiacas (*detective*), graciosos (*comedians*)). 13. ¿Qué leía Vd. antes de venir a la clase de español? 14. ¿Cuándo es peligroso cruzar la calle? (autos, bicicletas, camiones (*lorries*)). 15. ¿A qué horas del día es peligroso cruzar la calle? 16. ¿En qué estaciones (*seasons*) del año hay ventas? en qué meses del año? 17. ¿Por qué es útil una lavadora eléctrica? (lavar, ropa, rápidamente, aliviar (*to lighten*)). 18. ¿Por qué es útil una nevera? (alimentos (*foods*), fresco, proteger). 19. ¿Por qué hay dibujos en los periódicos? (llamar la atención, lector (*reader*), divertir). 20. ¿Qué provecho saca Vd. de los periódicos? (conocer (*learn*) diversos asuntos; medio de recreo, comprar y vender artículos, espectáculos, etc.).

Ejercicio 2.   Translate into Spanish:

1. Yesterday I was talking to (with) my wife about an electric washer.   2. We were discussing (*discutir*) the matter after (the) breakfast yesterday morning.   3. Often we used to talk about a refrigerator.   It would protect food(s). 4. I was waiting-for a bus near the square when it was raining. 5. I used to sit down about eight o'clock in (of) the evening to read the events of the day.   Of course I would (used to) work during the morning to earn a living (*vida*).   6. We were spending a few days in London before going abroad. 7. They used to get up every morning about seven o'clock. 8. Used you to get up early?   Obviously!   I had to catch a train.   9. In the office the clerks (*empleado*) used to begin (the) work towards nine o'clock.   10. They were all waiting-for a bus at the corner.   11. I was reading an illustrated paper in the corner.   12. Were you reading the advertisements? Were you (plur.) looking at the cartoons (drawings).   13. I

used to see him at the theatre. He used to be sitting in the
stalls. 14. I was having a stroll. There were empty seats.
15. The dress was in a shop-window. It was cheap. 16.
They were tourists—she was Spanish. I was tired. The
seats were occupied. 17. The compartments were full.
There were empty seats. There was delay. 18. It is
dangerous, useful, pleasant. A magazine as well as a
newspaper. The servant as well as the housewife.

Es - ta - ba la pá - ja - ra pin - ta a la
som - bra de un ver - de li - món... con el
pi - co re - co - ge la ho - ja, con el
pi - co re - co - ge la flor. ¡Ay mi a -
mor! ¿Cuán-do le ve - ré yo? Me a - rro
di - llo a los pies de mi a - man - te fiel y cons -
tan - te; da-me u - na ma - no, da - me la o - tra,
da-me un be - si - to, ca - ri - ta de ro - sa.

IRREGULAR VERBS

Infinitive and Participles	Present Indicative	Preterite
ANDAR, *go, walk*		
andando	ando, andas, anda	anduv -e, -iste, -o
andado	and- -amos, -áis, -an	-imos, -isteis, -ieron
CAER, *fall*		
cayendo	caigo, caes, cae, etc.	ca -í, -iste, cayó
caído		-ímos, -isteis, cayeron
CONDUCIR, *lead, guide*		
conduciendo	conduzco, conduces,	conduj -e, -iste, -o
conducido	etc.	-imos, -isteis, -eron
DAR, *give*		
dando	doy, das, da, etc.	* dí, diste, dió
dado		dimos, disteis, dieron
DECIR, *say, tell*		
diciendo	digo, dices, dice	dije, dijiste, dijo
dicho	decimos, decís, dicen	dij -imos, -isteis, -eron
ESTAR, *be*		
estando	estoy, estás, está	estuv -e, -iste, -o
estado	estamos, -áis, -án	-imos, -isteis, -ieron
HABER, *have*		
habiendo	he, has, ha	hub -e, -iste, -o
habido	hemos, habéis, han	-imos, -isteis, -ieron
HACER, *make, do*		
haciendo	hago, haces, hace	hic -e, -iste, hizo
hecho	hac -emos, -éis, -en	hic -imos, -isteis, -ieron

* In the Preterite 'di, dio'; 'fui, fue'; 'oi'; 'vi, vio' are now written without an accent.

126

Future	*Present Subjunctive*
andaré, andarás, andará andar -emos, -éis, -án	ande, andes, ande and-emos, -éis, -en
caeré, etc.	caiga, caigas, caiga caig -amos, -áis, -an
daré, etc.	dé, des, dé demos, deis, den
daré, etc.	dé, etc.
diré, etc.	diga, etc.
estaré, etc.	esté, etc.
habré, etc.	haya, etc.
haré, etc.	haga, etc

Infinitive and Participles	*Present Indicative*	*Preterite*
IR, *go*		
yendo,	voy, vas, va	* fuí, fuiste, fué
ido	vamos, vais, van	fu- imos, -isteis, -eron
OIR, *hear*		
oyendo	oigo, oyes, oye	* oí, oiste, oyó
oído	oímos, oís, oyen	oímos, -isteis, oyeron
PODER, *be able*		
pudiendo	pued-o, -es, -e	pud -e, -iste, -o
podido	pod -emos, -éis, pueden	-imos, -isteis, -ieron
PONER, *put*		
poniendo	pongo, pon -es, -e	puse, -iste, -o
puesto	pon -emos, -éis, -en	pusimos, -isteis, -ieron
QUERER, *wish, want*		
queriendo	quiero, -es, -e	quis -e, -iste, -o
querido	quer -emos, -éis quieren	-imos, -isteis, -ieron
SABER, *know*		
sabiendo	sé, sab -es, -e	sup-e, -iste, -o
sabido	sab-emos, -éis, -en	-imos, -isteis, -ieron
SER, *be*		
siendo	soy, eres, es	* fuí, fuiste, fué
sido	somos, sois, son	fu -imos, -isteis, -eron
TENER, *have*		
teniendo	tengo, tienes, tiene	tuve, tuviste, tuvo
tenido	tenemos, -éis, tienen	tuv -imos, -isteis, -ieron
TRAER, *bring, carry*		
trayendo	traigo, traes, trae	traje, -iste, -o
traído	tra -emos, -éis, -en	traj -imos, -isteis, -eron
VENIR, *come*		
viniendo	vengo, vienes, viene	vine, viniste, vino
venido	venimos, venís, vienen	vin-imos, -isteis, -ieron
VER, *see*		
viendo	veo, ves, ve	* ví, viste, vió
visto	vemos, veis, ven	vimos, visteis, vieron

Future	*Present Subjunctive*
iré, etc.	vaya, etc.
oiré, etc.	oiga, etc.
podré, etc.	pueda, etc.
pondré, etc.	ponga, etc.
querré, etc.	quiera, etc.
sabré, etc.	sepa, etc.
seré, etc.	sea, etc.
tendré, tendrás, tendrá tendr -emos, -éis, -án	tenga, tengas, tenga tengamos, -áis, -an
traeré, etc.	traiga, etc.
vendré, etc.	venga, etc.
veré, etc.	vea, etc.

ROOT-CHANGING VERBS

Class I. Root-vowel 'e' becomes 'ie,' 'o' becomes 'ue' *when stresse*

	Present Indicative		*Present Subjunctive*	
	perder, *to lose*			
(i)	*pierdo*	perdemos	*pierda*	perdamos
	pierdes	perdéis	*pierdas*	perdáis
	pierde	*pierden*	*pierda* (Vd.)	*pierdan* (Vds.)

The third person forms, viz. pierda Vd. and pierdan Vds., are used a 'polite' Imperative.

Similarly **cerrar** (*close*), **empezar** (*begin*), **pensar** (*think*), **sentars** (*sit down*).

(ii)	*Present Indicative*		*Present Subjunctive*	
	encuentro	encontramos	*encuentre*	encontremos
	encuentras	encontráis	*encuentres*	encontréis
	encuentra	*encuentran*	*encuentre* (Vd.)	*encuentren* (Vds.)

'Polite' Imperative: Encuentre Vd.
Encuentren Vds.

Class II. There are *two* changes in the root-vowel, viz.:

(i) Root-vowel 'e' becomes 'ie,' and 'o' becomes 'ue' *when stresse*
(ii) Root-vowel 'e' becomes 'i,' and 'o' becomes 'u' *when unstresse* before '-a' (Present Subjunctive), '-ie,' 'ió' (third person singular an plural Preterite).

sentir, *to feel* (sintiendo: present participle).

Present Indicative		*Present Subjunctive*	
siento	sentimos	sienta	*sintamos*
sientes	sentís	sientas	*sintáis*
siente	*sienten*	sienta (Vd.)	sientan (Vds.)

Preterite		*'Polite' Imperative*
sentí	sentimos	sienta Vd.
sentiste	sentisteis	sientan Vds.
sintió	sintieron	

Similarly dormir, *to sleep*. Changing 'o' to 'ue' (duermo, etc.) an 'o' to 'u' (dormí, durmió, etc.).

Like 'sentir' do 'divertirse' (*to amuse oneself*), 'preferir' (*to prefer* 'mentir' (*to lie, tell lies*), 'sugerir' (*to suggest*).

Like 'dormir' do 'morir' (*to die*).

Class III. There is *one* change, viz. root-wovel 'e' becomes 'i,' and 'o' becomes 'u' (a) *when stressed.*

and (b) *when unstressed* before '-a,' '-ie,' '-ió.'

pedir, *to ask* (pidiendo: present participle).

Present Indicative		*Present Subjunctive*	
pido	pedimos	pida	pidamos
pides	pedís	pidas	pidáis
pide	*piden*	pida (Vd.)	pidan (Vds.)

Preterite		*'Polite' Imperative*
pedí	pedimos	pida Vd.
pediste	pedisteis	pidan Vds.
pidió	*pidieron*	

Do similarly: repetir (*to repeat*), seguir (*to follow*), servir (*to serve*), reir (*to laugh*), sonreir (*to smile*), vestirse (*to dress oneself*).

CHANGES IN THE SPELLING OF VERBS

1. Like 'conducir' (in Present Indicative and Present Subjunctive) do most verbs ending in -cer, -cir, e.g. conocer (*know*), parecer (*seem, appear*), producir (*produce*). See p. 116.

2. Verbs ending in -car, -gar, e.g. buscar (*seek*), pagar (*pay*), have Preterite busqué, buscaste, etc., and Present Subjunctive busque, busques, etc.

Do similarly 'pagar.'

3. Verbs ending in -ger, -gir, e.g. coger (*take hold of, catch*), dirigirse (*go towards, address oneself to*), have Present Indicative cojo, coges, etc., and Present Subjunctive coja, cojas, etc.

Subjunctive. Formation.

Present. To the stem of first person singular Present Indicative
add: -e, -es, -e, -emos, -éis, -en, for verbs in -ar;
and: -a, -as, -a, -amos, -áis, -an, for verbs in -er, -ir.
e.g. Hable, hables, hable, etc.; coma, comas, coma, etc.
Tenga, tengas (tener).

Past. To the stem of the third person plural Preterite
add { -ara, -aras, -ara, -áramos, -arais, -aran, for verbs in -ar,
or { -ase, -ases, -ase, -ásemos, -aseis, -asen, for verbs in -ar.
add { -iera, -ieras, -iera, -iéramos, -ierais, -ieran, for verbs in -er,
or { -iese, -ieses, -iese, -iésemos, -ieseis, -iesen, for verbs in -ir.
e.g. Hablara, hablaras, etc. (or Hablase, hablases, etc.)
Comiera, comieras, etc. (or Comiese, comieses, etc.)

GLOSSARY

A

a, to, at (after verb of motion)
el abanico, far
  abarcar, to comprise
el abrigo, coat, overcoat
  aburrido, -a, boring
  acabar, to finish, complete
  — de, to have just
el accidente, accident
la aceituna, olive
la acera, pavement
  acerca de, about, concerning
  acercarse a, to approach
  acometer, to attack
  acompañar, to go with
  aconsejar, to advise
  acordarse de, to remember
  acostarse, to go to bed, lie down
  activo, -a, active
el actor, actor
la actriz, actress
  actual, present time, (-day) (adj.)
  actualidad, present time, topical event
  acudir a, to attend, frequent
  adelante, forward, onward
el adelanto, progress
  además, in addition, moreover
  ¿adónde?, where . . . to?
la aduana, Customs(-house)
el aeroplano, aeroplane
el aeropuerto, airport
  afeitarse, to shave
  afimar, assert, declare
la agencia, agency
  agradable, pleasant
  ahí, there, yonder
  ahora, now
  ahorrar, to save (up)

la aldea, village
  alegre, cheerful, gay
  algo, something, somewhat, rather
  alguien, someone
  algún (o, -a), some, any
el almacén, store, shop
  almorzar, to lunch
el almuerzo, lunch
  alrededor de, around (prep.)
  alto, -a, high, tall
el ama (de casa), mistress, housewife
  amenazador, -a, threatening
el amigo, friend
  añadir, to add
  ancho, -a, broad, wide
  andar, to walk
el andén, platform
  animado, -a, lively, excited
el año, year
  anoche, last night
  anochecer, to grow dark
  antes, previously
  — de, before (time)
  antiguo, -a, ancient, old
  anunciar, announce
el anuncio, advertisement
el aparato, apparatus, set (wireless)
  aparecer, to appear
  apearse, to alight (bus, etc.)
  aplaudir, to applaud
  aprender, to learn
  aprovechar, to profit by
  aquí, here
  arrojar, to throw
el artículo, article
el asesinato, murder
  así, thus
  así como, as well as, as also

el asiento, seat
el asunto, topic, subject, matter, affair
atacar, to attack
la atención, attention
el atractivo, charm, attraction
atrás, (adv.) behind
atropellar, to knock down
el auto(móvil), car
el autobús(-es), bus(-es)
el autor, author
avanzar, to advance
el avión, aeroplane
ayer, yesterday
ayudar, to help, aid
azul, blue

B

bailar, to dance
el baile, dance
bajar, to go down, get out (train, etc.)
bajo, under
el banco, bank
el bandido, ' gangster '
bañarse, to bath (oneself), bathe
barato, -a, cheap
barato, (adv.) cheap(ly)
barrera, barrier
bastante, enough, fairly, rather
la batalla, battle
beber, to drink
la Bélgica, Belgium
la belleza, beauty
bello, -a, beautiful
bien (adv.), well; good (noun)
el billete, ticket
blanco, -a, white
bondadoso, -a, kind(ly)
bonita, -a, pretty
bueno, -a, good. (All) right!
el bufete, ' buffet '
la busca, search
buscar, to look for
la butaca, stall (theatre), easy-chair

C

caballeresco, -a, chivalrous
el caballero, knight, gentleman
— -andante, knight-errant

el caballo, horse
(no) caber duda, to be no doubt
la cabeza, head
el cabo, end
cada, each, every
caer, to fall; caer a, look out on to
la calle, street
la callejuela, narrow (small) street
el calor, heat
la calzada, roadway
el camarero, waiter
cambiar, to (ex-)change
el camino, way, road
el campo, country, field
cansado, -a, tired
la cantidad, amount
la cantina, buffet
la capital, capital (city)
la carne de vaca, beef
el carnero, sheep
caro, -a, dear
la carta, letter
el cartel, poster
la casa, house
casi, almost
catorce, fourteen
la cena, supper
el centro, centre
cerca de, near (prep.)
cercano, -a, nearby (adj.)
cerrar(ie), to shut
la cesta, basket
el cheque de viaje, traveller's cheque
el cielo, sky, heaven
la ciencia, science
cierto, -a, certain
cinco, five
el cine, cinema
la circulación, traffic
la ciudad, city
la claridad, brightness
claro, -a, clear
¡claro! (adv.) obviously
el coche, car
el ' cocido,' boiled meat and vegetables
coger, to take hold of, catch
el colegio, college
colocar, to place
el color, colour

el **comedor,** dining-room
comenzar(ie), to begin
comer, to eat, dine
el **comercio,** trade
como, as, like
¿**cómo**?, how?
cómodo, -a, comfortable
el **compañero,** companion
componerse de, to be composed of
la **compra,** purchase; **ir de compras,** to go shopping
comprar, to buy
comprender, to understand
con, with
concurrido, -a, (well) attended, crowded
el **conde,** count
conducir, to lead, drive (car)
conocer, to know, be acquainted with (persons, places)
el **conocimiento,** knowledge
constituir, to constitute, form
contar(ue), to count, relate, tell
contestar, to answer
contra, against
al **contrario,** on the other hand
la **copa,** (wine-)glass
el **correo,** post, mail
la **corrida** (de toros), bullfight
cortar, to cut
corto, -a, short
la **cosa,** thing
cosas de interés, sights (of town, etc.)
cosmopolita, cosmopolitan
la **costa,** coast
costar(ue), to cost
la **costumbre,** custom, habit
creer, to believe, think
la **criada** ⎫
el **criado** ⎭ servant
el **crucigrama,** ' crossword '
cruzar, to cross
la **cuadrilla,** band, troop, party (of men)
el **cuadro,** picture
cuando (**cuándo**), when (when?)
en **cuanto a,** with regard to
cuánto, -a, how much (many)?
un **cuarto,** a room

cuatro, four
cubrir, cover
la **cuchara, cucharita,** spoon (large) (small)
el **cuchillo,** knife
la **cuenta,** bill, account
el **cuerno,** horn
la **culpa,** blame
el **cumpleaños,** birthday

D

dar, to give. **dar a,** to look out on to
darse prisa, to hurry
de, of, from
deber, to owe; must, have to
deber de (indicates probability), to have probably (gone out)
decidir, to decide
decir, to say, tell
dedicar, to devote
dejar, to leave, let
delante de, in front of
lo(s) **demás,** the rest, the others
demasiado, too, too much
dentro de, inside, within
el **departamento,** compartment
el **deporte,** sport
el **deportista,** sportsman (-woman)
deportivo, -a, sporting
de prisa, hurriedly, in a hurry
desagradable, unpleasant
desarrollar, to develop
desayunarse, to have breakfast
el **desayuno,** breakfast
descansar, to rest (oneself)
desde, since, from
el **desfile,** procession, parade
deslumbrar, to dazzle
desmayado, -a, dismayed
despacio, slowly
despertarse, (ie), to wake up
después (de), afterwards (after)
el **detalle,** detail
detener, arrest, stop (someone)
detenerse, to pause, halt
detrás de, behind (prep.)
diario, -a, daily (adj.)
el **dibujo,** sketch, drawing
diez, ten

difícil, difficult
el dinero, money
dirigirse, address
discutir, to argue, discuss
dispensar, to excuse, pardon
distinto, -a, different, distinct
divertido, -a, amusing
divertirse (ie), to enjoy oneself
doce, twelve
donde, ¿dónde?, where, where?
dormir (ue), to sleep
el dormitorio, bedroom
dos, two
la duda, doubt
durar, to last
durante, during

E

e, and (it replaces 'y' before words beginning with 'i-' or 'hi-')
echar, to throw, have (siester)
la edad, age
el edificio, building
en efecto, in fact
el ejemplo, example
sin embargo, however
la emisión, broadcast
la emisora, broadcasting station
la emoción, excitement
emocionante, exciting
empezar(ie), to begin
el empleado, employee
emplear, to employ
el empleo, post, occupation, employment
en, in, on, at
la encabezamiento, heading, headline
encantador, -a, charming
encontrar(ue), meet (a person), find (a thing)
enfermo, -a, ill
el enlace, connection
la ensalada, salad
en seguido, immediately
enseñar, to show, teach
entender(ie), to understand
enterarse (de), to find out, inform oneself (about)

entero, -a, whole, entire
entrar en, to enter
entre, between, among
enviar, to send
la época, time, period
el equipaje, luggage
el equipo, team
la escena, scene
escoger, to select, choose
escribir, to write
escuchar, to listen to
el escudero, squire, shield-bearer
la escuela, school
ese, -a, -os, -as, that, those
eso, that (neuter)
a eso de, about (expressing time of day)
España, Spain
español, -a, Spanish, Spaniard
la especie, kind, sort
el espectáculo, spectacle, 'show'
el espectador, -a, spectator
esperar, to hope, wait (for)
el esposo, la esposa, husband, wife
la esquina, corner (of street)
la estación, (railway) station
la estancia, stay
este, -a, -os, -as, this, these
la estrella, star
el estudio, study, studio
examinar, to examine
el éxito, success; tener éxito, be successful
el expreso, express (train)
extranjero, abroad; al (en el) —
el extranjero, -a, foreigner

F

facilitar, facilitate
la falta, fault, lack
famoso, -a, famous
la fecha, date (of month)
la feria, the fair
el ferrocarril, railway
fiel, faithful
fijarse en, to notice
la fila, row, line
el fin, end
la flor, flower
el folleto, booklet, folder

la fotografía, photograph
Francés, -esa, French (man, woman)
la Francia, France
frío, -a, cold
ia frontera, frontier
la fruta, fruit
fuera, outside (adv.)
— de, outside (of) (prep.)
fuerte, strong
fumar, to smoke
la función, performance
funcionar, to function, work, go (machines)
el fútbol, football

G

la gana(s), wish, inclination; tener ganas de, to feel like, wish to
ganar, gain, earn, win
general(mente), general(-ly)
(por lo) general, generally
la gente, people
gozar de, to enjoy
gracioso, -a, funny, witty
grande, big, large (gran, before a noun: great)
el guardia, policeman
la guardia, the police
el guía, the guide
la guía, guide-book, telephone directory
el gusto, taste, liking, pleasure

H

haber, to have (auxiliary verb)
el habitante, inhabitant
hábil, clever, skilful
hablar, to speak, talk
hacer, to make, do, to be (speaking of weather, hot, cold, etc.); el hecho, fact
hacia, towards
hallar, find
hasta, until, as far as, even
hay (había, habrá, hubo), there is, are (was, will be, was)
el hecho, fact, deed

el helado, ice-cream
herir (ie, i),to wound
el hermano, -a, brother, sister
hermoso, -a, beautiful
la historieta, short story
el hombre, man
el hombro, shoulder
la hora, hour, time (of day)
el horario, time-table (railway)
el hotel, hotel
hoy, to-day
el huésped, guest (hotel)

I

el idioma, language
el idiotismo, idiom
la iglesia, church
el individuo, individual, fellow
industrial, industrial
los informes, information
Inglaterra, England
inglés, -esa, English(man, -woman)
inteligente, intelligent, clever
el interés, interest
interesante, interesting
interesar, to interest
el invento, invention
el invierno, winter
ir (a), to go (and)
irse, to go away
italiano, -a, Italian

J

el jabón, soap
jamás, never
el jinete, horseman
joven, young, young man (woman)
la joya, jewel, gem
el juego, game, sport
jugar(ue), to play
jugoso, -a, juicy
juntarse, to join
junto a, next to
juzgar, to judge

L

la lanza, lance
largo, -a, long
la lástima, pity

la lavadora, washer, washing-machine
la lección, lesson
la leche, milk
la legumbre, vegetable
lejano, -a, (far) distant
lejos, far; a lo lejos, in the distance
el león, lion
el leproso, leper
el libro, book
ligero, -a, light, slight
listo, -a, ready
el locutor, announcer
la lotería, lottery
la lucha, struggle
luego, then, next
el lugar, place
lujoso, -a, luxurious

LL

llamar, to call, knock (at a door)
la llanura, plain
la llave, key
la llegada, arrival
llegar(a), to arrive (at)
lleno, -a, full
llevar, carry, wear, take (away)
llover(ue), to rain

M

la madre, mother
madrileño, -a, inhabitant of Madrid
la madrugada, early morning
el mal, evil
la maleta, suit-case
malo, -a, bad
malvado, -a, wicked
la mañana, morning, to-morrow
mandar, to command
la manera, manner, way
la mano, hand
el mantel, table-cloth
la mantequilla, butter
el mar, sea
maravilloso, -a, marvellous
marchar, to start (train, etc.); to go (machines, etc.)

marcharse, to go off, away
el marido, husband
más, more; más ... que, more ... than
matar, to kill
matutino, -a, morning (adj.)
mayor, greater (-est), older (-est)
me, me (obj. pron.)
el médico, doctor
medio, -a, (adj.) middle, mid, half; medianoche, midnight
el medio, means, method, middle
el Mediterráneo, Mediterranean
mejor, better, best
menor (adj.), less, least, younger (-est)
menos, less, least
mensual, monthly
la merienda, tea (the meal), light meal
el mes, month
la mesa, table
mi, my
mí, me (after prep.)
el miembro, member
mientras (que), while
el mío, la mía, -s, mine (pron.)
mirar, to look at
mismo, -a, same, very
la moda, fashion
moderno, -a, modern
el modo, way, manner
el molino de viento, windmill
el momento, moment
la montaña, mountain
el monte, high hill
morir, (ue, u) to die
el moro, Moor, Moorish
mostrar(ue), to show
el mozo, waiter, porter, youth
el muchacho, -a, boy, girl
la muchedumbre, crowd
mucho, -a, much, many
la muerte, death
mundial (adj.), world
el mundo, world
el museo, museum
el músico, musician
muy, very

N

nada, nothing
nadie, no one
la naranja, orange
el naranjo, orange-tree
natural, natural
necesario, -a, necessary
necesitar, to need
negarse(ie) a, to refuse to
la nevera, refrigerator
la niebla, fog, mist
la nieve, snow
ningún (-uno, -una), no+noun not one
el niño, -a, child
no, no, not
la noche, night
el norte, north
la noticia, (piece of) news
la novela, novel
noventa, ninety
nueve, nine
nunca, never

O

o, or
obedecer, to obey
la obra maestra, masterpiece
ochenta, eighty
ocho, eight
ocupado, -a, occupied, busy
ocupar, to occupy
ocurrir, occur, happen
oeste, west
la oficina, office
oír, to hear
once, eleven
la oportunidad, opportunity
la orilla, shore, bank
la orquesta, orchestra
la oscuridad, darkness
la oveja, sheep

P

la paciencia, patience
paciente, patient
el padre, father; padres, parents
pagar, to pay
la página, page (of book)

el país, country, nation
el paisaje, landscape
la palabra, word
el palco, box (theatre, etc.)
el pan, bread
el panecillo, (bread) roll
el pañuelo, handkerchief
el papel, paper; desempeñar un papel, play a part, role
el paquete, packet, parcel
para, for, in order to
la parada, stop, bus- (tram-) stop
parar, to stop
parecer, to appear, seem; me parece, I think
la parte, part
pasado, -a, past
el pasajero, passenger, traveller
pasar, to pass, spend
pasatiempo, pastime
el paseo, walk, boulevard
el paseíto, stroll
el pasillo, corridor
el paso, step, pace
la pasta, paste
el pastel, cake
el pastor, shepherd
el patio de butacas, pit stalls
la paz, peace
el peatón, pedestrian
pedir(i), ask for, order (goods)
la película, film
el peligro, danger
peligroso, -a, dangerous
la pena, penalty, punishment, trouble
pensar(ie), to think
la pensión, boarding-house
pequeño, -a, small
el percance, mishap
perder(ie), to lose, miss (train)
perfeccionar, to improve (something)
perfumado, -a, perfumed
el perfume, perfume
el periódico, newspaper
el periodista, journalist
permanecer, to stay, remain
pernoctar, to stay a night
pero, but

el perro, -a, dog
la persona, person
  persuadir, to persuade
  pesado, -a, heavy
  a pesar de, in spite of
el pescado, fish
la pica, pike, lance
  picar, to prick, sting
el pie, foot
la piedra, stone
  pintoresco, -a, picturesque
la pintura, painting
el pitillo, cigarette
el placer, pleasure
el plan, plan
el plato, dish, food (in dish) course
  (at a meal)
la playa, beach, seaside resort
la plaza, square
la población, population, large town
un poco (adv.), a little
  poco, -a, little (scanty)
  pocos, -as, few
  poder(ue), to be able, can
  poner, to put (on), place, to set
  (a table)
  popular, popular
  por, through, along, during; by
  (with passive voice)
  por eso, therefore, for that reason
  ¿por qué?, why?
  porque, because
la (tarjeta) postal, postcard
el postre, postres, dessert
el precio, price
  preciso, -a, necessary
  preferir(ie, i), to prefer
la pregunta, question
  preguntar, to ask (about), inquire
la prensa, (newspaper) press
  previo, -a, previous
la primavera, spring
  primero, -a, first
la prisa, haste; tener prisa, to be in
  a hurry
  probar(ue), to prove, test (try)
el profesor, -a, teacher
el programa, programme
  pronto, soon, quickly
de pronto, suddenly

la propina, tip
  proponer, to propose, plan
  proporcionar, to provide, supply
  proteger, to protect
el provecho, profit, benefit
la provincia, province
  próximo, -a, next
  proyectar, to show (a film)
el proyecto, plan, project
  prudente, prudent, wise
la prueba, proof, test
el pueblo, small town, a people
la puerta, door
el puerto, port, harbour
  pues, because, for, as
el punto, point

Q

que, that (conjunction), who,
  which, that; than
¿qué?, which? what? how!
querer, (ie), ts wish,wan
(a) quien(-es), whom
¿quién(-es)?, who? whom?

R

la radiodifusión, broadcasting
el radioescucha, listener
  rápido, -a, rapid, quick
el rato, while, short time
el rebaño, flock, herd
  recomendar(ie), to recommend
  reconocer, to recognize
  recorrer, to tour (a country)
el recreo, recreation, relaxation,
  amusement
la red, net, (rail) system, rack
  (luggage)
el refresco, refreshment
el regalo, present, gift
  regresar, to return, go back
  reir(i), to laugh
el reloj, watch, clock
el remedio, remedy
  repetir(i), to repeat
  reservar, to reserve
  respecto a, regarding
  retirar, to withdraw
  revisar, to check, examine

la revista, magazine
rico, -a, rich
el rincón, corner
el robo, robbery, theft
rodear, to surround
rojo, -a, red
la ropa, clothes
el ruido, noise

S

sabio, -a, wise
sacar, to take out, derive
la salida, departure, exit
salir, come (go) out, depart, leave,
        start off
el salón, drawing-room, lounge
el saquito de mano, hand-bag
sea . . . sea, whether . . . or
la seda, silk
(en) seguida, at once
seguir(i), to follow, continue
según, according to
segundo, -a, second
seguro, -a, sure, safe, reliable
seis, six
la semana, week
semejante, similar
señalar, to point out
el señor, Mr, sir, gentleman
la señora, Mrs, madam, lady
sentado, -a, seated
sentarse(ie), to sit down
el sentido, sense, meaning
sentir(ie, i), to feel
servir(i), to serve
sesenta, sixty
setenta, seventy
severo, -a, severe, harsh
si, if
sí, yes
siempre, always
siete, seven
siguiente, following
el siglo, century
la silla, chair
simpático, -a, ' nice,' congenial
        (person)
sin embargo, however, neverthe-
        less
sino, but (in contradiction)

el sitio, place, spot
sobre, on top of, on, about, over
el sol, sun
soler(ue), be accustomed to
sólo (adv.) (=solamente), only
el sombrero, hat
sonreir(i), to smile
sorprender, to surprise
su(s), his, her, its, their, your
subir a, to rise, come (go) into,
        get (up) into (bus, etc.)
suceder, to happen
el suceso, event, happening
(por) supuesto, of course
el sur, south
el (la) suyo, -a   } (pron.) his, hers,
los (las) suyos, -as } theirs, yours

T

también, also
tampoco, either, neither; Ni yo
        tampoco, Neither do I, or
        I don't either
tan (adv.), so
tanto, -a, so much
tanto como, as much as
la tardanza, delay
tarde, late
la tarea, task
la tarjeta postal, postcard
la taza, cup
el té, tea
te, you, to you (familiar)
el teatro, theatre
los tejidos, textiles
el telón, curtain (theatre)
temer, to fear
temprano, early
el tenedor, fork
tener, to have; — prisa, to be in a
        hurry; — frío (a person) to
        be cold; — ganas de, to feel
        like, be inclined to; — que,
        to have to, must
el tenis, tennis
terminar, to end
ti, you (familiar), after prep.
el tiempo, time
la tienda, shop
la tierra, earth, land

la toalla, towel
todavía, still, yet
todo, -a, all; todo el mundo, everyone
tomar, to take
tonto, -a, fool, foolish, silly
el torero, bullfighter
el toril, bull-pen
el toro, bull
trabajar, to work
el trabajo, work
traer, to bring
el traje, costume, suit
el tranvía, tram, tramway
tratar de, to try to
el trato, dealings, friendly intercourse
el tren, train
tropezar (ie) stumble; come across, meet (+con)
tu(s), your (familiar)
tú, you (familiar), subj. pron.
el turismo, tourism, touring
el, la turista, tourist

U

u, or (before words beginning with ' o-')
últimamente, recently
último, -a, last, latest
un(o), -a, a, an, one
útil, useful
la uva, grape

V

las vacaciones, holidays
vacío, -a, empty
el vagón, (railway) coach
valer, to be worth; no valer la pena, not to be worth while
valiente, brave
el vapor, boat, steamer
varios, -as, several

el vaso, (drinking) glass
el vecino, -a, neighbour
veinte, twenty
el vendedor, -a, shop assistant; seller
vender, to sell
venir, to come
la venta, sale
la ventana, window
ver, to see
el verano, summer
¡de veras! really!
la verdad, truth
verdadero, true, real
vespertino, -a, evening (adj.)
el vestido, dress
vestirse(i), to dress
la vez, time, occasion
en vez de, instead of
de vez en cuando, from time to time
viajar, to travel
el viaje, journey
el viajero, traveller, passenger
la vida, life
viejo, -a, old
el viento, wind
el vino, wine
la visita, visit; visita dirigida, conducted tour
el visitante, visitor
visitar, to visit
la vista, sight, view
el vistazo, glance; dar un vistazo a, have a look at
la vitrina, shop-window
vivir, to live
volver(ue), return, come (go) back

Y

y, and
ya, already, now

A

to be able, poder (ue, u)
about, acerca de (regarding); a eso de (time), sobre
above all, sobretodo
abroad, al (en el) extranjero
according to, según
acquaintance (a person), el conocido
adventure, la aventura
advertisement, el anuncio
aeroplane, el avión, aeroplano
after, después de (time); detrás de (place)
afternoon, la tarde
afterwards, después
agency, la agencia
ago, hace —
airport, el aeropuerto
all, todo (-a, -os, -as)
almost, casi
along, por
already, ya
also, también
always, siempre
among, entre
amusing, divertido, -a
and, y, e (before words beginning with 'i-,' 'hi- ')
announcer, el locutor
to answer, contestar, responder
to appear, parecer, presentarse, aparecer
to applaud, aplaudir
April, abril
arm-chair, el sillón, la butaca
around, alrededor de
arrival, la llegada
to arrive, llegar

article, el artículo
as, porque (because), como (like); as far as, hasta; as much as, tanto como; pues (for, since)
to ask (about), preguntar
to ask (for), pedir(i)
at, en, a
to attack, atacar, embestir
to attend, concurrir a (go to), asistir a
attendant, la acomodadora (theatre)
attention, la atención
August, agosto
autumn, el otoño

B

bad, malo, -a; malvado, -a
bank, el banco
bath-room. el cuarto de baño
to be, ser, estar; tener éxito (be successful); hacer (weather); tener calor, to be hot (persons)
beach, la playa
beautiful, hermoso, -a
because, porque
bedroom, el dormitorio, la habitación
before, antes (adv.); antes de (prep.)
to beg (request), rogar(ue); I beg your pardon, Vd. dispense
to begin, empezar (ie), comenzar (ie)
behind, detrás (adv.); detrás de (prep.)
to believe. creer
best, el (la) mejor
better, mejor
big, grande

bill (hotel), la cuenta
bit, un poco, algo
boat, el vapor, el barco
boarding-house, la casa de huéspedes
book, el libro
boring, aburrido, -a
box (theatre), el palco
breakfast, el desayuno
to bring (something), traer
to bring (person), llevar
to bring down, bajar
broadcast, la emisión
broadcaster, el orador
broadcasting, la radiodifusión
building, el edificio
bull, el toro
bullfight, la corrida de toros
bullfighter, el torero
bull-pen, el toril
bull-ring, el ruedo, la arena, plaza de toros
but, pero
to buy, comprar
by, por; by car, en coche; by air, en avión

C

café, el café
cake, el pastel
to call, llamar
capital, la capital
car, el auto, el coche
(post)card, la (tarjeta) postal
Catalonia, Cataluña
to catch, tomar (tren), coger
centre, el centro
chair, la silla; arm-chair, el sillón, la butaca
to change, cambiar; — trains, cambiar de tren
charm, el encanto
charming, encantador(-a)
(to) chat, charlar, platicar; la charla, la plática
cheap, barato, -a
cheerful, alegre
child, el niño, la niña
cigarette, el pitillo, el cigarrillo
cinema, el cine

circle, el anfiteatro (theatre)
city, la ciudad
class, la clase
clear, claro, -a; distinto, -a
to close, cerrar(ie)
clothes, la ropa
coast, la costa
coat, abrigo
coffee, el café
cold, frío -a; to be cold (weather), hacer frío; (person), tener frío
to come, venir
to come across (meet), tropezar con
to come back, volver, regresar
to come in, entrar (en)
comment, el comentario
compartment, el departamento
concerning, acerca de
connected with, relacionado(-a) con
corner (of room), el rincón
— (of street), la esquina
to cost, costar(ue)
to count, contar(ue)
counter, el mostrador
country, el país, la nación
country(side), el campo
course (school), el curso; (=book) el libro
— (at a meal), el plato; of course, naturalmente
to cross, cruzar
crowded, lleno, -a, concurrido, -a
cruel, cruel
cruise, el crucero
cup, la taza
custom, la costumbre
Customs, la aduana
— officer, el empleado de la aduana

D

dangerous, peligroso, -a
day, el día
dear, caro, -a
December, diciembre
delay, la tardanza
to derive, sacar
dessert, el postre, postres
to devote, dedicar

dining-car, el coche-comedor
to discuss, discutir, hablar de
dish, el plato
distinct, distinto, -a
to do, hacer
doctor, el médico
door, la puerta
— (carriage), la puertecilla
donkey, el burro
doubt, la duda
drawing, el dibujo
to dress, vestirse(i)
dress, el traje, el vestido
to drink, beber
to drive, conducir
during, durante, por

E

each, cada
early, temprano
to earn, ganar
easily, fácilmente
easy, fácil
to eat, comer
eight, ocho
eighteen, diez y ocho, dieciocho
eighty, ochenta
eleven, once
empty, vacío, -a
end, el fin, el cabo, (verb) terminar
England, Inglaterra
English, inglés, -esa
to enter, entrar (en)
enthusiast of, aficionado, (-a) a
especially, sobre todo
evening, la tarde
event, el suceso
every, cada, todos los —, todas
las —
to examine, examinar
to excuse, dispensar, perdonar
to explain, explicar

F

(in) fact, en realidad, en efecto
fairly, bastante, algo, un poco
to fall, caer
family, la familia
famous, famoso, -a
fan, el abanico

fashion, la moda
fast, rápido, -a
February, febrero
few, pocos; a few, unos pocos,
unas pocas
fifteen, quince
fifty, cincuenta
film, la película
to find, encontrar, hallar; find out,
enterarse de
first, primero, -a (adj.); primero
(adv.)
five, cinco
flower, la flor
following, siguiente
food, comida
foods, alimentos, comestibles
football, el fútbol
for, para (destined for, in order
to); por (in exchange for);
porque, pues (as, since)
foreign, extranjero, -a
forty, cuarenta
four, cuatro
fourteen, catorce
France, Francia
French, francés, -esa
Friday, viernes
from, de; desde (starting from)
in front of, delante de; frente a
(facing)
fruit, la fruta

G

garden, el jardín
gem, la joya
gentleman, el señor, caballero
geography, la geografía
to get, conseguir(i), comprar (buy);
to go and get, ir a buscar
get into (bus, etc.), subir a
get out (down), bajar (de)
get up, levantarse
to give, dar
glass, la copa (wine); el vaso
(water, etc.)
to go, ir; — along, pasar; — down,
bajar; — off, away, irse;
— out, salir; — on holiday,
irse de vacaciones; — to

bed, acostarse; — with,
   acompañar
good, bueno, -a
a good deal, mucho, -a

H

hall, la sala
hand, la mano; **on the other —,**
   en cambio, al contrario
to happen, suceder, pasar
hat, el sombrero
to have, tener, tomar (take); **have a**
   walk, dar un paseo; **to have**
   to, tener que; haber (auxiliary verb)
to hear, oir; **hear of,** oir hablar de
heat, el calor
heavy, pesado, -a
her, la (obj. pron.); **to her,** le; ella
   (after prep.)
here, aquí
hill, la colina
him, le; él (after prep.)
his, su, sus
history, story, historia
holidays, vacaciones
home, a casa (to); en casa (at)
horse, el caballo; — **back,** a
   caballo
hot, caliente; **to be hot (a person),**
   tener calor; **(weather)** hacer
   calor
hotel, el hotel
hour, la hora
house, la casa
how?, ¿cómo?
how!, ¡qué!
how many?, cuántos, -as
how much?, cuánto, -a
however, sin embargo
humorous, gracioso, -a; humor-
   ístico, -a
hundred, ciento, cien (before a
   noun)
husband, el marido, el esposo

I

ice-cream, el helado
idiom, el idiotismo
ill, enfermo, -a

illustrated, ilustrado, -a
immediately, pronto, en seguida
impossible, imposible
to improve, perfeccionar
in, en, dentro de, al cabo de; **in**
   this way, de este modo
industrial, industrial
information, los informes
to inquire, preguntar, enterarse (de)
inside of, dentro de
instead, en vez de
to intend to, pensar(ie)+infin.
to interest, interesar
interest, el interés
interesting, interesante
to introduce (someone), presentar

J

January, enero
journey, el viaje
July, julio
June, junio

K

keen (on), aficionado, (-a) **a,**
   entusiasmado, -a
to kill, matar
kilogramme, el kilogramo
kilometre, el kilómetro
kind, amable, bueno
knife, el cuchillo
knight, el caballero
to know (something, a fact), saber
to know (person, places), conocer

L

lack, la falta, (verb) faltar
lady, la señora, la dama
language, el idioma
large, grande
last, último, -a, pasado, -a
— **night,** anoche
late, tarde
to learn, aprender, conocer
to leave, salir de (depart); dejar
   (leave behind)
' left-luggage,' la consigna
less, (adj.) menor; (adv.) menos

lesson, la lección
letter, la carta
life, la vida
light, la luz (luces); ligero, -a (adj.)
to like, gustar (me gusta, *I like*)
like, como
to listen to, escuchar, oir
little, pequeño, -a (adj.); a little,
    un poco (adv.)
to live, vivir, habitar
London, Londres
long, largo, -a; a long time, largo
    tiempo
to look at, mirar; — for, buscar; —
    out on, dar a, caer a
to lose, perder(ie)
a lot of, mucho, -a, -os, -as
luggage, el equipaje
lunch, comer
luxurious, lujoso, -a

M

to madden, enfurecer
magazine, la revista
magnificent, magnífico, -a
to make, hacer
many, muchos, -as
March, marzo
matter, asunto
to matter, importar
May, mayo
me, me, mí (after prep.)
member, el miembro
menu, la lista (de comidas), la
    minuta, el menú
midday, el mediodía
midnight, la medianoche
mine, el (la, etc.) mío, -a, -os, -as
minute, el minuto
to miss, perder(ie) (el tren)
Miss, señorita
modern, moderno, -a
moment, el momento
money, el dinero
month, el mes
more, más
morning, la mañana
mother, la madre
mounted, montado, -a
Mr, señor

Mrs, señora
music, la música
musical comedy, la zarzuela
my, mi, mis

N

near, cerca de
nearby, cercano, -a (adj.)
to need, necesitar
neighbour(ing), vecino, -a
never, nunca, jamás
new, nuevo
news, la (s) noticia(s)
newspaper, el periódico
next, próximo, -a (adj.); next
    day, al día siguiente; luego,
    después (adv.)
next to, junto a
nice, bonito, -a, simpático, -a
    (pleasant, friendly)
night, la noche; last —, anoche
nine, nueve
nineteen, diez y nueve, diecinueve
ninety, noventa
no, not, no
no, ningún (adj.) (-uno, -una)
no one, nadie
noise, el ruido
north, el norte
nothing, nada
novel, la novela
November, noviembre
now, ahora

O

obvious, claro, -a
obviously!, ¡Claro!
occasionally, de vez en cuando
to occupy, ocupar
October, octubre
of, de
office, la oficina
official, el empleado
often, muchas veces
old, viejo, -a
on, en; on Monday, el lunes
only, sólo, solamente; no . . .
    más que
to open, abrir
open(ed), abierto, -a

opposite to, frente a (facing)
or, o, u (before words beginning with ' o-,' ' ho-')
to order (things), pedir(i)
to order (someone), mandar
(in) order to, para
other, otro, -a
our, nuestro, -a
outward, de ida
(over)coat, abrigo
to overlook, dar a, caer a, dominar
owing to, debido a

P

to pack, hacer (una maleta)
painting, la pintura
paper, el papel
to pass, pasar
passenger, el pasajero, el viajero
passport, el pasaporte
patience, la paciencia
patiently, con paciencia
to pause, detenerse
to pay, pagar
peace, la paz
people, la gente
performance, la función
person, la persona
personally (*i.e. for my part*), para mí
picture, el cuadro
picture gallery, el museo
picturesque, pintoresco, -a
pilgrimage, la peregrinación
place, sitio (seat), lugar
platform, el andén
to play, jugar(ue)
play (theatre), la pieza, la comedia; musical —, la zarzuela
pleasant, agradable
please, Haga el favor de; por favor
to please, gustar. (Esto me gusta, *I am pleased with this*)
pleased, contento, -a
pleasure, placer, gusto
plenty of, mucho(-a, etc.) bastante
to point out, señalar

policeman, el guardia, el policía
popular, popular
port, el puerto
porter, el mozo
possible, posible
potato, la patata
pound, la libra
present, el regalo
present-time, actual (adj.); actualidad (noun)
president, el presidente
pretty, bonito, -a
procession, el desfile
profit, el provecho
progress, los adelantos
prompt, en punto
to protect, proteger
to provide, proporcionar, proveer
province, la provincia
to put, poner
purse, el porta-monedas, la bolsa
Pyrenees, los pirineos

R

to rain, llover(ue)
rain, la lluvia
rarely, rara vez
rather (somewhat), un poco, algo
to read, leer
real, verdadero, -a
really, verdaderamente
to receive, recibir
recent, último, -a
recently, ultimamente, reciente-mente
recognize, reconocer
refrigerator, la nevera, el refrigera-dor
to refuse to, negarse (ie) a
to register, facturar
to remain, quedarse
to reserve, reservar
resort (seaside), la playa
to rest, descansar
to return, volver(ue), regresar
to reward, premiar
road, el camino, la calle (street)
roadway, la calzada
room, cuarto (house), sitio
row, la fila

S

sad, triste
salade, la ensalada
same, mismo, -a
Saturday, sábado
to say, decir
scarce, escaso, -a
sea, el mar
seaside, la(s) orilla(s) del mar,
— resort, la playa
seat, el asiento
to see, ver
to seek, buscar
to seem, parecer
to send, enviar
sensible, sensato
September, septiembre
servant, criado, -a
set, el aparato (de radio), una
radio
seven, siete
seventeen, diez y siete, diecisiete
seventy, setenta
several, varios, -as
shop, la tienda, el almacén (de-
partment store)
short, corte
to show, enseñar, mostrar(ue)
a show, espectáculo
sights, las cosas de interés
signal, la señal
silk, la seda
since, desde
sister, hermana
to sit (down), sentarse(ie)
six, seis
sixteen, diez y seis, dieciséis
sixty, sesenta
skill, la habilidad, destreza
small, pequeño, -a
to smoke, fumar
so, tan (adv.); and so, de modo
que
some, alguno(s), -a(s) (adj.)
sometimes, algunas veces
soon, pronto
Spain, España
Spanish, Spaniard, español, -ola
to speak, hablar
spectator, el espectador

to spend (money), gastar
to spend (time), pasar
(in) spite of, a pesar de
splendid, magnífico, -a
sport, el deporte
spring, la primavera
square, la plaza
stall (theatre), la butaca
to start, salir
station, la estación
stature, el talle
to stay, parar, permanecer
still (yet), todavía
street, la calle
to stroll, dar un paseíto; pasear
success, el éxito
suit, el traje
suit-case, la maleta
summer, el verano
supper, la cena
to surprise, sorprender, la sorpresa

T

table, la mesa
to take (away), tomar, llevar
to take (out), sacar
to talk, hablar
talk, la charla
taxi, el taxi
tea, el té, la merienda
teacher, el profesor, -ora
to tell, decir
ten, diez
tennis, el tenis
terrace, la terraza
than (in comparisons), que
that (adj.), ese, -a (near person
addressed); aquel, aquella
(more remote)
— (pron.), ése, -a, aquél, aquélla
— (neut.), eso
the, el, la, los, las
theatre, el teatro
their, su, sus
them, los, las; to them, les; ellos,
ellas (after prep.)
then, entonces, luego (next)
there, allí, ahí
there is, are (was, were; will be),
hay (había; habrá)

these (adj.), estos, -as
— (pron.), éstos, -as
thing, la cosa
to think, pensar(ie), creer (believe); me
    parece que, *I think that . . .*
thirteen, trece
thirty, treinta
those (adj.), esos, -as (near person
    addressed); aquellos, -as
    (more remote)
— (pron.), ésos, etc.
thousand, mil
three, tres
through, por
Thursday, jueves
ticket, el billete
— -collector, el revisor
— -office, despacho de billetes,
    la taquilla
time (hour), la hora
— (occasion), la vez; el tiempo
— -table, el horario
tip, la propina
tired, cansado, -a
to, a; in order to, para
to-morrow, mañana
too, también (also), demasiado
to tour (country), recorrer
tourist, el turista
towards, hacia
town, población (large), pueblo
    (small)
traffic, la circulación, el tráfico
train, el tren
to travel, viajar
travel, travelling, los viajes
treasure, el tesoro
trumpet call, el toque de clarín
to try (attempt), tratar de, tentar
to try (test), probar(ue)
Tuesday, martes
to tune in to, sintonizar con
twelve, doce
twenty, veinte
two, dos

U

under, bajo
to understand, comprender, enten-
    der(ie)

unpleasant, desagradable
until, hasta
us, nos; nosotros (after prep.)
used (worn), usado, -a
useful, útil
usual, usual
usually, generalmente, por lo
    general

V

very, muy
view, vista
village, la aldea, el pueblecito

W

to wait-for, esperar
waiter, mozo, camarero
to waken, despertar(se) (ie)
to walk, andar; dar un paseo, *go for
    a walk*
to want (wish), querer, desear
to want (need), necesitar
(to be) warm, hacer calor (weather);
    tener calor (persons)
to wash, lavar(se)
water, el agua (fem.)
way, camino, modo
to wear, llevar
Wednesday, miércoles
week, la semana
well, bien; Well!, pues
what?, ¿qué?
what (that which), lo que
when, cuando; when?, ¿cuándo?
where, donde; ¿dónde? ¿adónde?
    (*where . . . to?*)
which, que, ¿cuál?; Which—?,
    ¿Qué . . .?
while, mientras; un rato (a short
    time)
whole, entero, -a
why?, ¿por qué?
wife, la mjuer, esposa
(to be) willing }
to wish } querer, desear
window, la ventana; la vitrina, el
    escaparate (shop); la ven-
    tanilla (train, car, etc.)
wine, el vino

winter, el invierno
to wish, querer, desear
with, con
without, sin
woman, la mujer
to work, trabajar, el trabajo
worn, usado, -a
worse, peor
to wrap, envolver(ue)
to write, escribir

Y

year, el año
yesterday, ayer
yet, todavía (still); sin embargo
   (nevertheless)
you (familiar)
   (sub.) tú, vosotros
   (obj.) te, os

you (polite)
   (subj.) Vd., Vds.
   (obj.) le, los (masc.)
      la, las (fem.)
   (indir. obj.) le, les
   (after prep.) Vd., Vds.
your (familiar)
   tu(s) (sing.)
   vuestro, -a, etc. (plur.)
— (polite)
   su(s); de Vd(s).
yours (familiar)
   el tuyo, la tuya, etc. (sing.)
   el vuestro, la vuestra, etc.
                (plur.)
— (polite)
   el suyo, la suya, etc., or
   el (la, los, las) de Vd(s).

INDEX

References are to sections unless otherwise indicated